JA PÉREZ

# SOTERIOLOGÍA: LA DOCTRINA DE LA REDENCIÓN

*Teología Sistemática para Latinoamérica*

*Prólogo por Dr. Jaime Mirón*

**SOTERIOLOGÍA: LA DOCTRINA DE LA REDENCIÓN**

**Teología Sistemática para Latinoamérica**



**Tisbita Publishing House**

Puede encontrarnos en la red en: www.tisbita.com
Reportar errores de imprenta a errata@tisbita.com
Contactar al autor en: www.japerez.com

ISBN: 978-1-947193-41-3

Library of Congress | United States Copyright Office
Registration (case number) 1-10892898611
Pérez, JA 1961- author Literary Work
Teología Sistemática para Latinoamérica

Printed in the U.S.A.

# SOTERIOLOGÍA: LA DOCTRINA DE LA REDENCIÓN

Este manual de estudio es diseñado con ejercicios, cuestionarios y espacios para notas, para ser usado en estudios de grupos, clases de instituto bíblico, seminario o cualquier otro formato donde se equipen ministros y líderes para la obra de ministerio o creyentes en general que quieren crecer en el conocimiento de Dios.

Proviene del libro: *Teología Sistemática para Latinoamérica (780 páginas)* y forma parte de la serie de 11 manuales de estudios de teología.

Puede visitar *https://japerez.com/teologia* para información sobre los otros manuales de esta serie y el libro principal. Más detalles al final de este manual.

**Uso de traducciones bíblicas**

Citas bíblicas marcadas con las letras **RVR1960** provienen de la Reina Valera Revisada de 1960. Reina-Valera 1960 ® © Sociedades Bíblicas en América Latina, 1960. Renovado © Sociedades Bíblicas Unidas, 1988. Utilizado con permiso.
Las letras **NTV** indican La Santa Biblia, Nueva Traducción Viviente, © Tyndale House Foundation, 2010. Todos los derechos reservados.
**RVR1995** indican la Reina-Valera 1995. Copyright © 1995 por United Bible Societies.
**RVA** indican la Reina-Valera Antigua. Dominio Público. **RVC** indican la Reina Valera Contemporánea. Copyright © 2009, 2011 por Sociedades Bíblicas Unidas.
**RVA-2015** indican la Versión Reina Valera Actualizada, Copyright © 2015 por Editorial Mundo Hispano.
**NVI** indican la Santa Biblia, NUEVA VERSIÓN INTERNACIONAL® NVI® © 1999, 2015 por Biblica, Inc.® Usado con permiso de Biblica, Inc.® Reservados todos los derechos en todo el mundo.
**LBLA** indican la La Biblia de las Américas. Copyright © 1986, 1995, 1997 por The Lockman Foundation.
**NBLA** indican la Nueva Biblia de las Américas™ NBLA™ Copyright © 2005 por The Lockman Foundation.
**TLA** indican la Traducción en lenguaje actual. Copyright © 2000 por United Bible Societies.
**RVR1977** indican la Reina Valera Revisada® RVR® Copyright © 2017 por HarperCollins Christian Publishing® Usado con permiso.
**DHH** indican la versión Dios habla hoy ®, © Sociedades Bíblicas Unidas, 1966, 1970, 1979, 1983, 1996.
**BLP** indica La Palabra, (versión española) © 2010 Texto y Edición, Sociedad Bíblica de España.
**KJV** indican la King James Version. Dominio Público.
Donde no se indique la versión, especialmente si se cita un versículo dentro de párrafo, todos los textos bíblicos han sido extraídos de la versión Reina-Valera 1960 ® © Sociedades Bíblicas en América Latina, 1960. Renovado © Sociedades Bíblicas Unidas, 1988. Utilizado con permiso.

**Usos gramaticales**

En este libro, el uso de mayúsculas en algunas palabras o pronombres tiene el propósito de acentuar respeto, o universificar conceptos.

Siempre para referirme a Dios en tercera persona uso Él (con acento y en mayúscula la primera letra). Para referirme a algo que pertenece a Dios uso Su (con mayúscula en la primera letra), sin embargo, al citar textos bíblicos, respeto cuando aparece con minúscula para no alterar la manera que lo usa cada versión.

De igual manera, respeto al citar la Reina Valera 1960 o la Reina Valera Antigua el uso de antiguas reglas ortográficas, como por ejemplo el acento en la é de éstos o éstas o el uso del punto y coma para terminar una oración y luego comenzar la otra línea con mayúscula.

Uso nosotros en lugar de vosotros porque escribo primordialmente para Latinoamérica, sin embargo cuando es parte de la traducción bíblica que estoy usando, por supuesto lo dejo intacto para no alterar las citas.

**Dedicado** a todos aquellos que incansablemente comparten la buena noticia en nuestra América Latina. Quienes aman la verdad y no se rinden.

Al fiel pastor de aquella pequeña congregación sin luz o agua potable en las montañas y al maestro bíblico que lucha con las corrientes de error en su querida ciudad.

Esta humilde obra es para ustedes, amados obreros.

---

**Agradezco** a mi Dios, por todo.

A mi esposa, quien pacientemente me escucha pensar en voz alta y debatir conmigo mismo textos difíciles a deshoras de la noche, quien me acompaña en cada paso y en cada letra.

A mi madre por sus largas horas leyendo y ayudándome en las correcciones al manuscrito, y a nuestros dos hermosos gatos que fielmente me acompañan mientras escribo.

También agradezco a mis maestros y mentores que desde antes con su ejemplo me enseñaron a amar la teología y a todos los escritores que menciono en las notas. Sin los cientos de fuentes y consultas, este trabajo no hubiera sido posible.

# CONTENIDO

# PRÓLOGO

Los alemanes cuentan con la teología sistemática de Wolfhart Pannenberg; los ingleses con Alister McGrath; los franceses con Juan Calvino; los españoles con Francisco Lacueva y Samuel Vila; los americanos con Lewis Sperry Chafer, Wayne Grudem, Charles Hodge, Louis Berkhof, Stanley M. Horton y John MacArthur, entre otros. Gracias a Dios, varios han sido traducidos al español.

Pero no ha existido una obra de teología sistemática escrita por un latino para latinos... hasta ahora.

*Teología Sistemática para Latinoamérica* comprende once ramas, que cubren en forma sistemática las diferentes fases de la teología escrita en español para latinos.

Lo que más me agrada de esta obra es que no sólo cubre todas las doctrinas de la teología sino también es fácil de leer y entender. Digo más, me parece que hay mucho material que el pastor puede usar en la preparación de sus mensajes o para maestros de la escuela dominical o líderes de clases bíblicas.

El fundamento de toda teología es la Palabra de Dios. Es la primera parte que leo en cualquier teología sistemática. Cito una parte de *Teología Sistemática para Latinoamérica*: «La Escritura es inerrante. No contiene errores. Esta inerrancia significa que en los manuscritos originales no se equivoca, ni dice nada fuera de la verdad o sin exactitud. La Palabra de Dios no contiene errores. En otras palabras, la Biblia es siempre verdadera y confiable en todo el texto. Errar es de humanos. Dios no comete errores. '*Toda palabra de Dios demuestra ser verdadera. Él es un escudo para todos los que buscan su protección. Proverbios 30:5 NTV*'».

Es reconfortante saber que en los cimientos de *Teología Sistemática para*

*Latinoamérica* está la creencia de la absoluta autoridad de la Palabra de Dios.

JA Pérez tiene un ministerio aprobado de años en el mundo de habla hispana. Además, goza de un matrimonio sólido y sus tres hijos colaboran en el ministerio. Ha sido mi privilegio ministrar con él en varios países donde he podido observar su visión, pasión por las almas y amor a Dios.

Estoy más que seguro que disfrutará de esta magnífica obra.

Dr. Jaime Mirón

*Editor General de la Biblia Nueva Traducción Viviente y vicepresidente de la Asociación Luis Palau.*

*Junio de 2021*

# ¿POR QUÉ ESTE TRABAJO?

La motivación para escribir los varios tomos en esta serie se puede decir que ha surgido después de largos períodos de frustración.

Creo que en nuestras facultades e institutos Bíblicos en Latinoamérica hemos trabajado mucho tiempo con material prestado. Digo prestado porque no fue escrito para nosotros.

Tenemos por un lado grandes obras teológicas escritas por autores anglosajones, escoceses, franceses, suizos y alemanes publicadas siglos atrás para una audiencia europea. Estas, traducidas por españoles (también europeos) para españoles, con connotación y estilo que no aplica a la América Latina del siglo XXI.

Por otro lado, nativos de la lengua española, también han escrito grandes obras como lo son Francisco Lacueva[1], Samuel Vila[2], y otros, que han sido (y siguen siendo) útiles durante años en la formación de ministros evangélicos. A estos (y a los anteriores) estamos grandemente agradecidos y edificamos sobre sus hombros. En ningún momento intento menospreciar y ciertamente no presumo tener mejor teología que ellos, estos fueron grandes maestros y expertos en la lengua castellana, sin embargo, para este siglo y para una América con un lenguaje cambiante y muy lejos del sentido original de muchas de las palabras usadas en esa hermosa literatura teológica española del siglo pasado —es necesario actualicemos.

Por eso esta humilde obra.

La teología es y será la misma que hemos tenido por más de 2000 años, no cambia, está establecida sobre fundamento sólido. Sin embargo, en un amplio y diverso continente la lengua cambia, y los significados de muchas palabras también[3].

Esta serie de Teología Sistemática es escrita para América Latina. Para ser usada primordialmente como texto esencial en la *Facultad de Teología Latinoamericana™* y distribuida en nuestro amado continente para que una nueva generación de predicadores puedan influir a sus mundos con sólida doctrina como ministros aprobados que usan bien la palabra de verdad (2 Timoteo 2:15).

## La metodología

Intentaré usar lo más que pueda, textos bíblicos que vienen de traducciones contemporáneas con el lenguaje actual de Latinoamérica. Sin embargo, necesito equivalencia formal[4] para textos bases, por lo que estaré usando la amada Reina Valera 1960[5], gran parte del tiempo, claro que con las referencias necesarias a otras traducciones, de manera que el estudiante latinoamericano pueda comprender el texto fácilmente.

## ¿Qué es teología sistemática?

Teología sistemática, es una disciplina de la teología cristiana. La labor de la teología sistemática es presentar de manera ordenada y coherente la verdad de Dios y su relación con el hombre y el mundo[6].

Es una presentación de la fe y doctrinas cristianas, que está ordenada en un «sistema» metódico para facilitar el entendimiento de estas.

La palabra «teología» es compuesta y viene del griego. Theos, significa «Dios», y logos significa «palabra» o «mensaje».

«Sistemática» obviamente viene de «sistema». Algo desarrollado bajo un sistema. Teología sistemática es, entonces, la división de la teología en sistemas que explican sus diversas áreas [7].

Varios teólogos han dado definiciones similares.

A. H. Strong dice: «La teología es la ciencia de Dios y Su relación con el universo»[8]. Por otro lado, Charles Hodge dice: «La teología es la exhibición de los hechos de la escritura en su orden y relación apropiados, con los principios o verdades generales involucrados en los mismos hechos, y que impregnan y armonizan el todo»[9]. Y William G. T. Shedd dice: «La teología es una ciencia que se interesa tanto en lo infinito como en lo finito, tanto en Dios como en el universo. Por lo tanto, el material que esta abarca es más vasto que el de cualquier otra ciencia. Es también la más necesaria de todas las ciencias»[10].

La importancia de que la teología sea sistematizada es obvia. Esta nos facilita el estudio y la comprensión. Wayne Grudem señala que la alternativa sería «teología desorganizada»[11].

## ¿Por qué el estudio de la teología sistemática?

Primero, porque la teología —cuando se estudia correctamente y con motivos sanos— glorifica a Dios.

Dios es glorificado cuando buscamos conocerle (Filipenses 1:9—11). Entonces, para usted y para mí, el objetivo de estudiar teología es conocer mejor a Dios y aprender más y más en cuanto a cómo obedecerle. *«Y en esto sabemos que nosotros le conocemos, si guardamos sus mandamientos» (1 Juan 2:3).* Entonces, si nuestro estudio produce obediencia, esto glorifica a Dios.

> *Pues todas las cosas provienen de él y existen por su poder y son para su gloria. ¡A él sea toda la gloria por siempre! Amén. Romanos 11:36* NTV

Segundo, para estar equipados y representar a Cristo correctamente.

También estudiamos teología para poder ser testigos fieles de Dios al mundo.

Especialmente cuando vivimos en un tiempo en que toda verdad es cuestionada. La iglesia del Señor, necesita estar preparada para responder, cuando alguien nos pregunta acerca de la esperanza que tenemos como creyentes —*«siempre preparados para dar una explicación» (1 Pedro 3:15* NTV*).* Debemos saber que es a través de nosotros (la iglesia) que esa esperanza es dada a conocer a todos —especialmente a los de afuera.

Pablo nos dice:

*El propósito de Dios con todo esto fue utilizar a la iglesia para mostrar la amplia variedad de su sabiduría a todos los gobernantes y autoridades invisibles que están en los lugares celestiales. Efesios 3:10* NTV

La amada Reina Valera 1960 dice: «*para que la multiforme sabiduría de Dios sea ahora dada a conocer por medio de la iglesia a los principados y potestades en los lugares celestiales*».

Tercero, para nuestro crecimiento espiritual.

Como seguidores de Cristo, es importante que estudiemos teología para que podamos crecer en conocimiento y fe. No es suficiente saber acerca de Dios, necesitamos conocerle personalmente y tener una relación genuina con Él.

*El temor del Señor es la base del verdadero conocimiento, pero los necios desprecian la sabiduría y la disciplina. Proverbios 1:7* NTV

La verdad inspira adoración. La teología provoca reverencia y gloria.

Es preciso que nos preguntemos si nuestra adoración es superficial, basada meramente en emociones, o si está fundamentada en la Palabra de Dios.

Si no tenemos la teología correcta se pierde el ánimo para la verdadera adoración.

El gozo verdadero no viene de buscar más emoción, mejor sonido musical, etc... El gozo verdadero viene cuando estamos saturados por la Palabra de Dios.

Lo que necesitamos para adorar a Dios más efectivamente es una gran visión de Él, y esto se obtiene por medio de Su estudio.

Cuarto y último, porque la doctrina es importante.

Debemos estudiar teología porque es importante. Ser un discípulo de Cristo va más allá de tomar la decisión de seguirle.

Debemos convertirnos en estudiantes de Dios.

Mira lo que dice Jesús:

*Jesús le dijo a la gente que creyó en él: —Ustedes son verdaderamente mis discípulos si se mantienen fieles a mis enseñanzas... Juan 8:31* NTV

No podemos simplemente inventar nuestro propio credo. Si lo hiciéramos, estaríamos haciéndonos en nuestras mentes un «dios» (con minúscula) a nuestra imagen.

Es posible que esta sea la razón por la cual Pablo advierte a Timoteo:

*Llegará el tiempo en que la gente no escuchará más la sólida y sana enseñanza. Seguirán sus propios deseos y buscarán maestros que les digan lo que sus oídos se mueren por oír. Rechazarán la verdad e irán tras los mitos. 2 Timoteo 4:3-4* NTV

La Biblia no nos concede un especial derecho para escoger qué doctrinas bíblicas queremos creer.

La importancia de la doctrina reside no sólo en que aprendamos a seguir las enseñanzas de Jesús. También es importante para entender las cosas que la Biblia no enseña.

En conclusión, ¿por qué estudiamos teología sistemática?

La estudiamos 1. porque glorifica a Dios; 2. para aprender a representar a Cristo correctamente; 3. para nuestro crecimiento espiritual; y 4. porque la doctrina es importante.

El Señor no retarda su promesa, según algunos la tienen por tardanza, sino que es paciente para con nosotros, no queriendo que ninguno perezca, sino que todos procedan al arrepentimiento.
2 Pe 3:9 RVR1960

# INTRODUCCIÓN A LA SOTERIOLOGÍA

La soteriología es la rama de la teología que estudia la salvación. El término proviene del griego σωτηρία (sōtēria), «salvación» y λογος (logos), «estudio de»[1].

En el sentido generalizado de la palabra, el término soteriología denota creencias y doctrinas sobre la salvación en cualquier religión específica, así como el estudio del tema. La idea de salvar o librarse de alguna situación desesperada implica lógicamente que la humanidad, en su totalidad o en parte, se encuentra en tal situación[2]. Específicamente en relación al cristianismo, la Real Academia Española dice de la soteriología: «En la religión cristiana, doctrina referente a la salvación»[3].

Y el diccionario Merriam-Webster dice: «Teología que trata de la salvación, especialmente según la efectuó Jesucristo»[4].

Para nosotros, seguidores de Jesús, podemos decir que la soteriología significa «el estudio de la salvación» o «estudio de la redención».

En el cristianismo la doctrina de la salvación se centra en la persona y obra de Jesucristo y cómo se hace posible la salvación espiritual en Él, creyendo que Su sacrificio sustituye el castigo por el pecado (la paga del pecado es muerte Romanos 6:23), lo cual implica una transformación en el que poniendo su confianza en Jesús ha pasado de muerte a vida.

Los cristianos todos, tenemos ya una soteriología —aunque no usemos el término. En teoría estamos todos de acuerdo en la verdad de que somos «salvados sólo por fe, sólo por medio de Cristo», y los que venimos de la tradición reformada también diríamos «sólo por medio de la Escritura, sólo por gracia, y sólo para la gloria de Dios» es decir «las cinco solas de la reforma» o los «pilares esenciales para la vida y práctica cristiana»[5]. He dicho en teoría, porque en la práctica la historia puede ser muy diferente debido a conceptos errados que se enseñan en cuanto a la salvación. Por ejemplo, algunos dicen creer que la salvación es sólo por gracia, sin embargo la preservación de esa salvación pasa a ser por medio de esfuerzos humanos, la imposición de reglas que varían de acuerdo a la denominación o secta.

La verdadera doctrina en cuanto a la salvación, enseña que sólo por gracia, por medio de la fe en Jesús (Efesios 2:8), y por tanto en Su obra completada en la cruz, somos librados del justo castigo que merecemos (Romanos 3:25,26).

Esto mencionado es esencial, sin embargo, la Biblia habla mucho más sobre cómo Dios salva a los pecadores. Por eso la soteriología. En esta estudiaremos las respuesta a preguntas como:

- ¿Elige Dios a personas para que ellas crean el evangelio y sean salvas?
- ¿Murió Jesús por todas las personas o sólo por los electos? ¿Vino Jesús a hacer posible la salvación de todas las personas sin asegurar la de nadie, o vino para salvar realmente a sus ovejas?
- ¿Podemos perder nuestra salvación?
- ¿La fe es algo que Dios nos regala o depende de nuestro esfuerzo?
- ¿Cómo llegan las personas realmente a creer el evangelio?

En esta jornada, estudiaremos el orden de la salvación, la elección, el llamado, la conversión, la regeneración, la justificación, la santificación, la perseverancia y mucho más.

Es mi objetivo y oración que por medio de este tomo, nuestro conocimiento en cuanto a la fe que ahora está en nosotros crezca, que seamos establecidos firmemente en el fundamento sólido que es Su santa Palabra, edificados e inmovibles, equipados para responder a todos sobre esta esperanza de la cual somos partícipes de manera que podamos cumplir con la comisión que nos ha sido confiada y hacerlo con gracia y destreza.

# 1

# EL ASUNTO DE LA SALVACIÓN

*«Debemos entender que la obra entera por la cual los hombres son salvados de su estado natural de pecado y de ruina, y son transportados al reino de Dios y hechos herederos de la felicidad eterna, es de Dios, y únicamente de Él. 'La salvación es de Jehová' (Jonás 2:9)» —Charles Spurgeon*[6]

En el contexto postmodernista actual, la palabra «salvación» (la cual es absoluta), de por sí va contracultura. Estamos en tiempos donde se dice que toda verdad es relativa.

¿Cuál es el problema? Bueno, para que se necesite salvación se supone que tenemos que ser salvados de algo. ¿Salvados de qué? ¿Salvados para qué? ¿Salvados por quién?

En nuestro vocabulario actual las palabras «pecado» y «santidad» son raras.

Estando dentro de una cultura terapéutica, «el pecado» ya no se define por qué somos «pecadores», o qué hacemos, sino más bien por los errores e injusticias que se han cometido contra nosotros, sea por nuestros padres, la sociedad, el medio ambiente. Es decir, el problema —de acuerdo a la psicología popular moderna— no está dentro de nosotros, sino afuera. No hemos hecho nada malo, somos víctimas.

Esto va en contra de lo que la Biblia enseña sobre la condición del ser humano. Jesús nos dijo que el problema está adentro —en el corazón.

*Porque de dentro, del corazón de los hombres, salen los malos pensamientos, los adulterios, las fornicaciones, los homicidios, los hurtos, las avaricias, las maldades, el engaño, la lascivia, la envidia, la maledicencia, la soberbia, la insensatez. Marcos 7:21,22* RVR1960

El problema está en el corazón y esto lo vemos desde ese primer pecado en el huerto, el deseo del ser humano, de no vivir para Dios, sino ser Dios.

En el Edén, nuestros primeros padres quisieron ser como Dios, y nosotros desde entonces lo intentamos todo el tiempo. No queremos vernos como criaturas dependientes. Queremos ser autores de nuestra propia existencia, guías de nuestros propios sueños y destinos.

Tan lejos de Dios hemos llegado a estar que escaseamos de la habilidad de captar las profundidades de nuestra propia depravación, de nuestro pecado, y no es hasta que entendemos el mal que reside en nosotros (en el corazón) que podemos entender correctamente que necesitamos ser salvados no sólo de nosotros mismos, sino de la ira de un Dios Santo que no puede relacionarse con nosotros mientras esté presente en nuestras vidas ese mal que la Biblia llama «pecado».

Ya que no hay bien dentro de nosotros, la respuesta para la salvación tampoco puede estar dentro de nosotros. Es por eso que el evangelio está por encima y fuera de nosotros.

Esto es a lo que el reformador Martín Lutero llamó una «justitia alienum», una rectitud alienígena; una justicia que pertenece propiamente a otra persona. Es una justicia que está fuera de nosotros[7].

No podemos tomar este asunto del pecado a la ligera. Spurgeon dijo: «Demasiados piensan a la ligera del pecado, y por lo tanto, piensan a la ligera del Salvador[8].

El problema del pecado es una cuestión grave. El asunto de la salvación por lo tanto es de vital importancia. No podemos tomarlo a la ligera. Es necesario estudiarlo, escudriñarlo y entenderlo. Luego veremos que es glorioso.

Es mi oración que seamos estudiosos de los que piensan profundamente acerca de la salvación, porque entendemos lo que la Biblia dice acerca de nosotros «que somos pecadores y necesitamos ser salvados».

## ¿Qué aprendí en este capítulo?

## Citas bíblicas claves

## Para recordar

## Cuestionario

Llene los espacios en blanco.

En el Edén, nuestros primeros padres quisieron ser como Dios, y nosotros desde entonces lo ________________ todo el tiempo.

La respuesta para la salvación no puede estar ______________ de nosotros.

El problema del pecado es una cuestión _____________. El asunto de la salvación por lo tanto es de vital importancia.

# 2

# EL ORDEN DE LA SALVACIÓN

¿Cómo sucede la salvación? ¿Qué pasa realmente cuando alguien es salvo?

En Hamartiología: La doctrina del pecado, estudiamos cómo entró el pecado a este mundo, cómo fuimos todos contaminados desde el Edén por causa de nuestro representante Adán y los daños que el pecado ha causado a la raza humana —no sólo el pecado de Adán, sino también los pecados que continuamos nosotros cometiendo y de los cuales somos responsables.

Todos hemos pecado y merecemos el castigo eterno de Dios.

> *Pues todos hemos pecado; nadie puede alcanzar la meta gloriosa establecida por Dios. Romanos 3:23* NTV

La *Reina Valera 1960* dice: «...por cuanto todos pecaron, y están destituidos de la gloria de Dios».

Así, vendidos al pecado —como dice Pablo en Romanos 7:14— la única esperanza de ser libres de este será por medio de un sacrificio perfecto que incluya derramamiento de sangre y muerte.

> *...sin derramamiento de sangre no se hace remisión. Hebreos 9:22* RVR1960

> *Porque la paga del pecado es muerte... Romanos 6:23* RVR1960

Gracias a Dios por Jesucristo que al morir obedientemente en la cruz, logró la redención de su pueblo.

Al decir «redención» me refiero a que Cristo pagó el precio completo para comprarnos (rescatarnos) del pecado. Pagó por lo que se había perdido para recuperarlo —y como dice mi esposa— lo pagó con intereses.

La palabra exacta es «redimir». Es como cuando alguien ha perdido o empeñado algo y ahora tiene que pagar un precio para recuperarlo. Cristo, por medio de su completa obra en la cruz, nos redimió —ganó nuestra salvación.

¿Cómo aplica esa salvación a nuestras vidas individual y personalmente?

En los capítulos que siguen aprenderemos que «la salvación es del Señor». Dios no sólo logró algo en la cruz; Él también aplica los beneficios de la cruz a personas individuales.

Quiere decir que cuando la Biblia habla de la salvación, no habla de un «acto simple e indivisible», por el contrario, habla de la salvación que comprende una «serie de actos y procesos».

La Escritura habla de la salvación en pasado, presente y futuro.

Los creyentes en Cristo han sido salvos (Efesios 2:8), están siendo salvos (1 Corintios 1:18), y serán completamente salvos algún día de las consecuencias del pecado (Romanos 5:9).

Veamos los textos en esos tres tiempos.

La salvación en tiempo pasado. Nos salvó.

> *Dios los salvó por su gracia cuando creyeron. Efesios 2:8* NTV

La salvación en tiempo presente continuo «a los que se salvan».

> *Porque la palabra de la cruz es locura a los que se pierden; pero a los que se salvan, esto es, a nosotros, es poder de Dios. 1 Corintios 1:18* RVR1960

La salvación en tiempo futuro «seremos salvos de la ira».

> *Pues mucho más, estando ya justificados en su sangre, por él seremos salvos de la ira. Romanos 5:9* RVR1960

Por el hecho de que la aplicación de la redención no es una acción única, sino más bien una serie de actos y procesos, no nos debería sorprender que esta siga un orden determinado.

No podemos encontrar un versículo en la Biblia que nos deletree este proceso de «orden de la salvación».

Sin embargo, si hacemos una comparación cuidadosa de varios pasajes del Nuevo Testamento encontraremos un marco de referencia para este orden.

De hecho esta práctica se sincroniza a lo que en realidad es la teología sistemática. Estudiamos toda la Biblia para ver lo que en conjunto (o en contexto) nos dice de un tema.

Un proceso de orden pudiera hacerse por ejemplo, con respecto a predestinación.

Veamos.

> *Porque a los que antes conoció, también los predestinó para que fuesen hechos conformes a la imagen de su Hijo, para que él sea el primogénito entre muchos hermanos. Y a los que predestinó, a éstos también llamó; y a los que llamó, a éstos también justificó; y a los que justificó, a éstos también glorificó. Romanos 8:29,30* RVR1960

En estos dos versículos vemos que la predestinación precede al llamado, que el llamado precede a la justificación, que la justificación a su vez precede a la glorificación.

Tiene sentido y ritmo. Tiene un orden. Dios no glorifica a un pecador que no había sido justificado, y no justifica a un pecador sin antes llamarlo. Esto es un orden lógico de cómo se aplica la salvación a las personas.

Entonces, la salvación la estudiaremos en este siguiente orden.

- La elección (Dios escoge las personas que serán salvas)
- El llamado del evangelio (el mensaje del evangelio es proclamado y escuchado)

- La conversión (pasar de muerte a vida)
- La regeneración (nacer de nuevo)
- La justificación (posición legal correcta; la justicia de Cristo es imputada)
- La adopción (membrecía a la familia de Dios)
- La santificación (crecimiento y conformidad con Cristo)
- La perseverancia (la permanencia en Cristo)
- La muerte (presente con el Señor)
- La glorificación (un cuerpo resucitado)

### Elección y responsabilidad humana

Es importante señalar que algunos de los aspectos de la salvación dependen completamente de Dios (como la elección) y otros, (como la conversión), requieren de la respuesta humana.

Dios nos ofrece el don de salvación, a lo que nosotros debemos responder, entonces podemos decir que el arrepentimiento y la fe son dones a los que debemos responder.

> *...por si quizá Dios les conceda que se arrepientan para conocer la verdad... 2 Timoteo 2:25* RVR1960

Entonces para ser fieles a este orden, comencemos por la doctrina de la elección.

## ¿Qué aprendí en este capítulo?

## Citas bíblicas claves

## Para recordar

## Cuestionario

Llene los espacios en blanco.

Todos hemos pecado y _______________ el castigo eterno de Dios.

Gracias a Dios por Jesucristo que al morir obedientemente en la cruz, ___________________ la redención de su pueblo.

La Escritura habla de la _______________ en pasado, presente y futuro.

La ___________________ precede al llamado… el llamado precede a la justificación y la justificación a su vez precede a la glorificación.

Dios no glorifica a un pecador que no había sido justificado, y no justifica a un pecador sin antes _______________.

# 3

# LA DOCTRINA DE LA ELECCIÓN

*No me elegisteis vosotros a mí, sino que yo os elegí a vosotros... Juan 15:16* RVR1960

La doctrina de la elección también se conoce como la doctrina de la predestinación.

Hablemos de la elección / predestinación.

La palabra «elección» es la que se traduce de las palabras griegas ἐκλεκτός (eklektos) que se puede traducir «escogido»[9], eklegó que se puede traducir «seleccionar»[10], o eklogé que se puede traducir como «una selección (divina)»[11].

Como ya he mencionado antes, sabemos que la salvación comienza con Dios.

Podemos definir la elección como:

***La iniciativa libre y amorosa de Dios de escoger (desde la eternidad pasada) a algunos para salvación no a causa de méritos humanos, sino de acuerdo a Su soberana voluntad.***

Es decir que, Dios escogió salvar a un número específico y definido de personas. Él garantiza esa salvación por medio del perfecto sacrificio de Jesús en la cruz y esto es para gloria de Su santo nombre.

Si dependiera de nosotros los humanos, todos permaneceríamos para siempre en nuestros delitos y pecados. El ser humano no tiene por sí solo el interés o la habilidad de buscar a Dios o hacer lo bueno.

*Como está escrito: No hay justo, ni aun uno; No hay quien entienda, No hay quien busque a Dios. Todos se desviaron, a una se hicieron inútiles; No hay quien haga lo bueno, no hay ni siquiera uno. Romanos 3:10—12* RVR1960

Sólo un poderoso acto sobrenatural de parte de Dios puede rescatar a los pecadores y sacarlos de su condición, pero si han de ser rescatados, Dios deberá tomar la iniciativa, y esto es precisamente lo que Él hace.

Dios, soberanamente saca a un hombre del reino de las tinieblas y lo coloca en el reino de Cristo.

*...el cual nos ha librado de la potestad de las tinieblas, y trasladado al reino de su amado Hijo... Colosenses 1:13* RVR1960

La doctrina de la elección o predestinación, aparece claramente expuesta en las Escrituras. Jesús habló de elección, también los apóstoles durante la era de la iglesia primitiva, y luego en las epístolas —especialmente en las cartas paulinas, pero también de boca de Pedro y Juan.

Veamos los textos.

*...pero vosotros no creéis, porque no sois de mis ovejas, como os he dicho. Juan 10:26* RVR1960

Note en el texto anterior la frase «no creéis, porque no sois de mis ovejas». Y en el siguiente pasaje cómo Jesús hace referencia a aquellos que le han sido dados por el Padre.

*He manifestado tu nombre a los hombres que del mundo me diste; tuyos eran, y me los diste, y han guardado tu palabra. Yo ruego por ellos; no ruego por el mundo, sino por los que me diste; porque tuyos son, Y ya no estoy en el mundo; mas éstos están en el mundo, y yo voy a ti. Padre santo, a los que me has dado, guárdalos en tu nombre, para que sean uno, así como nosotros. Cuando estaba con ellos en el mundo, yo los guardaba en tu nombre; a los que me diste, yo los guardé, y ninguno de ellos se perdió, sino el hijo de perdición, para que la Escritura se cumpliese. Juan 17:6,9,11,12* RVR1960

Note las frases:

*v.6 a los hombres que del mundo me diste*

*v.9 no ruego por el mundo, sino por los que me diste*

*v.11 a los que me has dado*

*v.12 a los que me diste*

Lucas (el médico amado) escribe en Hechos acerca de Pablo y Bernabé predicando a los gentiles en Antioquía. Él dice:

*Los gentiles, oyendo esto, se regocijaban y glorificaban la palabra del Señor, y creyeron todos los que estaban ordenados para vida eterna. Hechos 13:48* RVR1960

Evidentemente vemos que esos escogidos (que estaban ordenados para vida eterna) «creyeron» en el Evangelio, que es ultimadamente la evidencia de que estaban escogidos.

Veamos elección en la teología de Pablo:

*...según nos escogió en él antes de la fundación del mundo, para que fuésemos santos y sin mancha delante de él, en amor habiéndonos predestinado para ser adoptados hijos suyos por medio de Jesucristo, según el puro afecto de su voluntad... Efesios 1:4,5* RVR1960

*Porque conocemos, hermanos amados de Dios, vuestra elección; pues nuestro evangelio no llegó a vosotros en palabras solamente, sino también en poder, en el Espíritu Santo y en plena certidumbre, como bien sabéis cuáles fuimos entre vosotros por amor de vosotros. 1 Tesalonicenses 1:4-5* RVR1960

Es claro que es Dios quien inicia el proceso de salvación en el creyente. Mucho antes de que el individuo escuche y responda al mensaje de salvación. Note en el siguiente versículo también a los Tesalonicenses cómo lo escribe Pablo.

*Pero nosotros debemos dar siempre gracias a Dios respecto a vosotros, hermanos amados por el Señor, de que Dios os haya escogido desde el principio para salvación, mediante la santificación por el Espíritu y la fe en la verdad... 2 Tesalonicenses 2:13* RVR1960

### Elección soberana e independiente de nosotros

Cuando leemos todos los textos referente a elección / predestinación, llegamos a la conclusión que «la elección de Dios de salvar a ciertos individuos descansa únicamente en Su voluntad soberana». Esta elección es incondicional. No podemos hacer nada para merecerla. La elección de Dios de salvar a pecadores particulares no reposa en alguna respuesta u obediencia prevista de parte del que está siendo salvo.

De hecho ni aún la fe o el arrepentimiento pueden influir en el decreto de Dios en cuanto a la elección, por el contrario, Dios da fe y arrepentimiento a cada individuo que escoge y esto situaría el proceso en el orden correcto.

Podemos decir que cualquier acto de obediencia, sea la fe o el arrepentimiento son el resultado, y no la causa de la elección de Dios.

La fe y la obediencia entonces, no son iniciadoras, pero respuestas al Dios que decidió predestinarnos y llamarnos.

No podrás encontrar en las Escrituras que nuestra fe fue la razón por la que Dios nos escogió. Si ese fuera el caso, entonces seríamos nosotros los que estaríamos en control y no Dios.

La salvación es completamente por gracia. Por eso, la elección de Dios es la gran causa de la salvación.

Amamos porque Dios nos amó primero… elegimos a Dios porque él nos escogió primero.

> *Nosotros le amamos a él, porque él nos amó primero. 1 Juan 4:19* RVR1960

Y otra vez:

> *No me elegisteis vosotros a mí, sino que yo os elegí*
> *a vosotros… Juan 15:16* RVR1960

La elección en el Antiguo Testamento

> *No por ser vosotros más que todos los pueblos os ha querido Jehová y os ha*

*escogido, pues vosotros erais el más insignificante de todos los pueblos; sino por cuanto Jehová os amó, y quiso guardar el juramento que juró a vuestros padres, os ha sacado Jehová con mano poderosa, y os ha rescatado de servidumbre, de la mano de Faraón rey de Egipto. Deuteronomio 7:7,8* RVR1960

Comenzando por la elección de un pueblo entero. Si salvación significa ser liberados de algo (en sentido general), que más que un pueblo entero liberado de la esclavitud. ¿Y, no vemos en esto la similitud en cuanto a cómo somos nosotros liberados de la esclavitud del pecado?

De cierto Pablo lo asegura así.

*Porque cuando erais esclavos del pecado, erais libres acerca de la justicia. Romanos 6:20* RVR1960

En cuanto a esa libertad de su pueblo de manos del Faraón, Dios claramente expone la razón por la cual los escogió soberanamente para ser su pueblo elegido: «No por ser vosotros más que todos los pueblos os ha querido Jehová y os ha escogido, pues vosotros erais el más insignificante de todos los pueblos; sino por cuanto Jehová os amó…».

Claramente vemos que el motivo de esa elección no es el comportamiento del pueblo, sino el amor de Dios. La elección está basada en el amor de Dios.

El Señor dice: «Te escogí porque te amaba».

De regreso al Nuevo Testamento, podemos ver la claridad con que la elección de Dios es expresada por Pablo en Romanos.

*Y no sólo esto, sino también cuando Rebeca concibió de uno, de Isaac nuestro padre (pues no habían aún nacido, ni habían hecho aún ni bien ni mal, para que el propósito de Dios conforme a la elección permaneciese, no por las obras sino por el que llama), se le dijo: El mayor servirá al menor. Como está escrito: A Jacob amé, mas a Esaú aborrecí. ¿Qué, pues, diremos? ¿Que hay injusticia en Dios? En ninguna manera. Pues a Moisés dice: Tendré misericordia del que yo tenga misericordia, y me compadeceré del que yo me compadezca. Así que no depende del que quiere, ni del que corre, sino de Dios que tiene misericordia. Romanos 9:10-16* RVR1960

Leer la frase «a Esaú aborrecí» pudiera sonar injusto ¿cierto? De hecho Pablo hace la pregunta «¿hay injusticia en Dios?», a lo que él mismo responde: «En ninguna manera».

Dios es libre y pudo haber dicho «aborrecí a Esaú y a Jacob» y con toda razón. Es más, si fuese por obras, las obras de Jacob no eran muy buenas. Jacob era el suplantador, quien robó la primogenitura de su hermano Esaú. Jacob es un traidor, tramposo y mentiroso.

Quizá la pregunta más difícil no es cómo puede Dios aborrecer a Esaú, sino cómo puede amar a Jacob, un pecador.

Pero esa es la gracia de Dios. No es por obras.

Dios es justo porque podría dejar que todos nos perdiéramos, sin embargo, selecciona y salva a algunos. En eso muestra su misericordia.

Es como si tu sintieras en tu corazón ir y regalarle una caja con alimentos a una familia que está en necesidad en tu ciudad. En la misma ciudad existen otras familias que tienen necesidad, sin embargo tú le regalaste la caja de alimento a una sola familia. No le regalaste a todas las familias que tienen necesidad. ¿Te hace esto injusto o misericordioso?

La realidad es que no estabas obligado a regalarle nada a nadie, pero decidiste bendecir a alguien. Tuviste misericordia con esa familia. Esto te hace misericordioso.

Quizá deberíamos preguntarnos: ¿Por qué Dios solo salvaría a algunos? Él no está obligado a salvar a nadie. ¿Por qué salvaría a algunos de nosotros? Todos merecemos la condenación eterna, pero en Su amor y misericordia, Dios planeó salvar a algunos de nosotros.

**No por obras**

Cuando regresamos a este pasaje en Romanos, vemos que la elección de Dios no estaba condicionada a las acciones de Esaú o Jacob, sino a Su voluntad soberana.

Una objeción común a la doctrina de la elección que escuchamos mucho es que esta significa que los incrédulos nunca tienen la oportunidad de creer.

Sin embargo, la Biblia no apoya esta objeción.

Cuando alguien rechaza a Jesús, Él siempre echa la culpa a su decisión voluntaria de rechazarlo, no a algo decretado por Dios.

> *...no queréis venir a mí para que tengáis vida. Juan 5:40* RVR1960

Por eso es que decimos que el decreto de elección no anula la responsabilidad humana.

El no elegido siempre tendrá la oportunidad de rechazar a Dios, de la misma manera que el elegido tendrá la oportunidad de creer en Él y confesarle delante de los hombres.

Las personas que rechazan a Dios, lo hacen porque no están dispuestas a creer en Jesucristo y confesarlo como Señor y Salvador de sus vidas. La culpa de tal rechazo siempre recae en los que rechazan, nunca en Dios.

## ¿Qué aprendí en este capítulo?

## Citas bíblicas claves

## Para recordar

## Cuestionario

Llene los espacios en blanco.

La doctrina de la ________________ también se conoce como la doctrina de la predestinación.

La salvación __________________ con Dios.

Dios ______________ salvar a un número específico y definido de personas. Él garantiza esa salvación por medio del perfecto sacrificio de Jesús en la cruz y esto es para gloria de Su santo nombre.

Dios es _____________ porque podría dejar que todos nos perdiéramos, sin embargo, selecciona y salva a algunos.

El no elegido siempre tendrá la ________________ de rechazar a Dios, de la misma manera que el elegido tendrá la oportunidad de creer en Él y confesarle delante de los hombres.

# LA INVITACIÓN A SALVACIÓN

Ya hemos estudiado cómo nuestra salvación comienza con la elección por parte de Dios. También mencioné la responsabilidad humana y dije que «el decreto de elección no anula la responsabilidad humana».

Trataremos entonces en este capítulo de entender cómo se lleva a cabo esta salvación.

El calvinista fatalista dice que Dios escoge a quien va a ser salvo y quien va a perderse, entonces no hay nada que hacer. A estos los encontramos dentro de los supralapsarios[12], en la escuela de la doble predestinación, esta posición fatalista no es solamente antibíblica, también es peligrosa. Esta posición elimina el evangelismo (la obediencia a la gran comisión), entonces es fácil explicar por qué razón las iglesias que mantienen esta posición carecen de crecimiento y extensión. Son iglesias muertas.

He escuchado a algunos inclusive atacar con tal negativismo el trabajo de evangelismo que el que no lee y no conoce se pudiera fácilmente llevar la impresión de que Dios no está interesado en que las buenas noticias sean predicadas.

La verdad está muy lejos de eso.

El evangelismo debe estar activo en el creyente por tres razones.

**1. El deseo de Dios es salvar**

*El Señor no retarda su promesa, según algunos la tienen por tardanza, sino que es paciente para con nosotros, no queriendo que ninguno perezca, sino que todos procedan al arrepentimiento. 2 Pedro 3:9* RVR1960

Claro, que una cosa es lo que Dios desea y otra es lo que Dios sabe.

El deseo de Dios es que «ninguno perezca», y sin embargo elige a algunos para salvación, porque es Soberano y sabe cosas que nosotros no sabemos en cada vaso antes de crearlo. No trato de ser Arminiano, ni de decir que la elección es basada en pre-conocimiento, sabemos que es basada totalmente en soberanía. Sin embargo estoy hablando del corazón de Dios, y Dios es un Dios bueno. En ese versículo de segunda de Pedro, creo que Dios nos deja ver Su corazón respecto a la salvación.

**2. La otra razón por la cual el evangelismo debe estar activo en nosotros es porque el Señor lo ordenó**

*Por tanto, id, y haced discípulos a todas las naciones, bautizándolos en el nombre del Padre, y del Hijo, y del Espíritu Santo… Mateo 28:19* RVR1960

**3. Y la tercera razón es porque no sabemos a quien Dios ha separado para salvación, entonces debemos predicar a todos**

Esto es porque «todos» necesitan oír.

*¿Y cómo creerán en aquel de quien no han oído? ¿Y cómo oirán sin haber quien les predique? Romanos 10:14* RVR1960

Sin la invitación a salvación, o el llamado a salvación, nadie sería salvo.

Ahora. ¿Necesita ser siempre así? ¿Es necesario que un predicador anuncie todo el tiempo, para que los que escuchan sean salvos?

Ciertamente, Dios es todopoderoso, y Él puede llamar a alguien al arrepentimiento directamente y sin la intervención de un predicador.

Tal es el caso de Pablo cuando iba camino a Damasco a perseguir a seguidores de Jesús. En este caso, el Señor se le apareció directamente. Sin embargo, vemos que enseguida, Dios usó a Ananías para completar el trabajo que Él había comenzado.

> *Mas yendo por el camino, aconteció que al llegar cerca de Damasco, repentinamente le rodeó un resplandor de luz del cielo; y cayendo en tierra, oyó una voz que le decía: Saulo, Saulo, ¿por qué me persigues? El dijo: ¿Quién eres, Señor? Y le dijo: Yo soy Jesús, a quien tú persigues; dura cosa te es dar coces contra el aguijón. El, temblando y temeroso, dijo: Señor, ¿qué quieres que yo haga? Y el Señor le dijo: Levántate y entra en la ciudad, y se te dirá lo que debes hacer. Había entonces en Damasco un discípulo llamado Ananías, a quien el Señor dijo en visión: Ananías. Y él respondió: Heme aquí, Señor. Y el Señor le dijo: Levántate, y ve a la calle que se llama Derecha, y busca en casa de Judas a uno llamado Saulo, de Tarso; porque he aquí, él ora, y ha visto en visión a un varón llamado Ananías, que entra y le pone las manos encima para que recobre la vista. Entonces Ananías respondió: Señor, he oído de muchos acerca de este hombre, cuántos males ha hecho a tus santos en Jerusalén; y aun aquí tiene autoridad de los principales sacerdotes para prender a todos los que invocan tu nombre. El Señor le dijo: Ve, porque instrumento escogido me es éste, para llevar mi nombre en presencia de los gentiles, y de reyes, y de los hijos de Israel; porque yo le mostraré cuánto le es necesario padecer por mi nombre. Fue entonces Ananías y entró en la casa, y poniendo sobre él las manos, dijo: Hermano Saulo, el Señor Jesús, que se te apareció en el camino por donde venías, me ha enviado para que recibas la vista y seas lleno del Espíritu Santo. Y al momento le cayeron de los ojos como escamas, y recibió al instante la vista; y levantándose, fue bautizado. Hechos 9:3—6,10—18* RVR1960

Entonces, sí, Dios se reveló a Pablo directamente, pero luego usó a Ananías para confirmar ese llamado, bautizarlo y comisionarlo.

Es interesante que Pablo dice que ya Dios lo había apartado desde antes, lo cual es «elección», y entonces lo llamó. Ahí vemos de nuevo el orden.

Regresando a la cuestión anterior, Dios ciertamente puede llamar a alguien directamente, pues Él es Dios y puede hacer lo que Él quiera, sin embargo Él decide involucrar a sus ministros en el proceso de llamar a quienes Él ya ha apartado para salvación desde antes.

*¿Y cómo predicarán si no fueren enviados? Como está escrito: ¡Cuán hermosos son los pies de los que anuncian la paz, de los que anuncian buenas nuevas! Romanos 10:15* RVR1960

Me gusta cómo lo traduce la *Nueva Traducción Viviente.*

*¿Y cómo irá alguien a contarles sin ser enviado? Por eso, las Escrituras dicen: «¡Qué hermosos son los pies de los mensajeros que traen buenas noticias!» Romanos 10:15* NTV

Así es. Dios usa a Sus mensajeros para traer Sus «buenas noticias».

Pablo le dice a los tesalonicenses que Dios los llamó a la salvación a través del evangelio.

*...a lo cual os llamó mediante nuestro evangelio, para alcanzar la gloria de nuestro Señor Jesucristo. 2 Tesalonicenses 2:14* RVR1960

El llamado a salvación es un llamamiento eficaz porque Dios garantiza una respuesta.

*Porque a los que antes conoció, también los predestinó para que fuesen hechos conformes a la imagen de su Hijo, para que él sea el primogénito entre muchos hermanos. Romanos 8:29* RVR1960

El texto dice que aquellos a quienes Dios predestinó, Él también llamó. ¿Por qué garantiza respuesta este llamado? Porque es Dios quien lo planeó «a los que antes conoció, también los predestinó». ¿Cómo se completa ese trabajo? Como dice Pablo, los que fueron llamados también fueron justificados y glorificados.

*Y a los que predestinó, a éstos también llamó; y a los que llamó, a éstos también justificó; y a los que justificó, a éstos también glorificó. Romanos 8:30* RVR1960

Como proclamadores de buenas noticias, nuestro trabajo es llamar a todos al arrepentimiento y a la fe en Cristo.

Esa es nuestra parte, y debemos ser conscientes de que no todos responderán al evangelio.

Recuerde lo que dijo Jesús.

*Porque muchos son llamados, y pocos escogidos. Mateo 22:14* RVR1960

Nuestro trabajo es llamar a muchos, el trabajo de Dios es escogerlos.

Muchos evangelistas usan técnicas y estrategias, elocuencia y estilo a la hora de hacer el llamado a salvación, pero ninguno de nosotros podemos efectivamente atraer a las personas a Jesucristo. Eso no está en nuestras manos.

*Ninguno puede venir a mí, si el Padre que me envió no le trajere... Juan 6:44* RVR1960

*Y dijo: Por eso os he dicho que ninguno puede venir a mí, si no le fuere dado del Padre. Juan 6:65* RVR1960

Finalmente, la elección y el llamado son confirmados en nosotros. Son los frutos, los actos producidos por la transformación que ha ocurrido en nosotros los que confirman y testifican que somos de Él.

*Por lo cual, hermanos, tanto más procurad hacer firme vuestra vocación y elección... 2 Pedro 1:10* RVR1960

## ¿Qué aprendí en este capítulo?

## Citas bíblicas claves

## Para recordar

## Cuestionario

Llene los espacios en blanco.

El calvinista ________________ dice que Dios escoge a quien va a ser salvo y quien va a perderse, entonces no hay nada que hacer.

El ______________ debe estar activo en el creyente.

Sin la invitación a salvación, o el ____________ a salvación, nadie sería salvo.

Dios usa a Sus ________________ para traer Sus «buenas noticias».

# 5

# LA CONVERSIÓN (ARREPENTIMIENTO Y FE)

La conversión comienza con «nuestra respuesta voluntaria al llamado del evangelio». Esta sucede cuando nos arrepentimos de todo corazón de los pecados y ponemos nuestra confianza en Jesucristo para nuestra salvación personal.

Somos regenerados porque respondemos al llamado lo cual como hemos visto antes es una obra que comienza en Dios.

Hay algunas escuelas, especialmente de la persuasión calvinista que creen que la regeneración comienza antes de la conversión. Que Dios soberanamente nos regenera y por eso podemos venir a Él.

Yo no creo que ese sea necesariamente el orden. Sí, estamos de acuerdo que el trabajo de regeneración comienza en Dios —es Dios quien nos ha apartado desde antes y nos llama— pero creo que es una vez que respondemos al llamado, que ocurre la regeneración.

Somos sellados con el Espíritu de la promesa «cuando creemos». El texto en Efesios 1:13 dice «habiendo creído en él, fuisteis sellados». Ahí vemos el orden. Entonces somos regenerados (nacemos de nuevo) cuando creemos. Y ese «creer» se compone de dos partes, arrepentimiento y fe.

La terminología «conversión» es usada desde el principio de la historia de la iglesia.

Pedro en el libro de los Hechos dice: «Así que, arrepentíos y convertíos, para que sean borrados vuestros pecados» (Hechos 3:19). Otra vez, vemos ahí orden. Primero nos arrepentimos y después, nuestros pecados son borrados. En otras palabras, primero conversión y después regeneración.

## ¿Qué implica una verdadera conversión?

Una verdadera conversión implica arrepentimiento y fe.

Entremos en los diferentes aspectos de la conversión por separado.

### El arrepentimiento

Desde el comienzo de Su ministerio terrenal, Jesús llama al arrepentimiento y la fe (creer).

> *Después que Juan fue encarcelado, Jesús vino a Galilea predicando el evangelio del reino de Dios, diciendo: El tiempo se ha cumplido, y el reino de Dios se ha acercado; arrepentíos, y creed en el evangelio. Marcos 1:14,15* RVR1960

Note las dos palabras «arrepentíos, y creed».

Pablo, hablando a los ancianos en Éfeso, les da un resumen del evangelio que les ha predicado.

> *...y cómo nada que fuese útil he rehuido de anunciaros y enseñaros, públicamente y por las casas, testificando a judíos y a gentiles acerca del arrepentimiento para con Dios, y de la fe en nuestro Señor Jesucristo. Hechos 20:20,21* RVR1960

Otra vez, note el orden «arrepentimiento para con Dios, y de la fe», es decir, primero «arrepentimiento» y segundo «fe».

Debo reafirmar que ese arrepentimiento es específicamente «arrepentirnos de nuestros pecados» y esa fe, es específicamente «fe en Jesucristo». La razón por la que hago hincapié en esto es porque hoy en día, movimientos de la nueva era aún dentro de las iglesias, hablan de arrepentirnos de algo que le hayamos hecho a alguien (no a Dios) e inclusive se predica buscar el perdón de otros (como se hace en círculos seculares) y en cuanto a la fe, a veces predican tener fe en uno mismo. Estos son rasgos del humanismo secular que opera dentro de muchas iglesias (que están en apostasía), muy lejos del verdadero arrepentimiento y la genuina fe.

El texto anterior dice claramente «arrepentimiento para con Dios, y de la fe en nuestro Señor Jesucristo».

**¿Qué es el arrepentimiento?**

En realidad, el verdadero arrepentimiento implica un dolor sincero por el pecado, una renuncia a él y un compromiso sincero de abandonarlo y caminar en obediencia a Cristo.

En otras palabras, y en la expresión más sencilla, arrepentimiento significa, «dar la espalda al pecado y volvernos a Dios».

Este concepto de volvernos del pecado e ir hacia Dios, lo vemos en Zacarías.

> *Diles, pues: Así ha dicho Jehová de los ejércitos: Volveos a mí, dice Jehová de los ejércitos, y yo me volveré a vosotros, ha dicho Jehová de los ejércitos. Zacarías 1:3* RVR1960

Vemos en ese texto que Dios estaba llamando a los israelitas al arrepentimiento. Dios estaba buscando restaurar Su relación con Su pueblo.

Entonces, el arrepentimiento, debe decirse, que se refiere a la reparación de una relación con Dios que ha sido perturbada por el pecado humano[13].

Este es un retorno relacional que surge del corazón humano e impacta todas las esferas de nuestra vida.

No es solamente el dolor de haber ofendido a un Dios Santo. Básicamente, el arrepentimiento es la restauración de una relación quebrantada con Dios por causa del pecado.

Por eso, debemos entender que el arrepentimiento no es una simple confesión de pecado.

El verdadero arrepentimiento requiere que abandonemos totalmente el pecado y esto requiere sinceridad. No podemos decir que estamos arrepentidos y continuar en nuestros antiguos caminos. Dios no puede ser burlado.

*No os engañéis; Dios no puede ser burlado: pues todo lo que el hombre sembrare, eso también segará. Gálatas 6:7* RVR1960

Entonces, vemos el importante papel que el arrepentimiento juega en la conversión genuina. Vemos cómo lo describe el profeta Joel.

*Por eso pues, ahora, dice Jehová, convertíos a mí con todo vuestro corazón, con ayuno y lloro y lamento. Rasgad vuestro corazón, y no vuestros vestidos, y convertíos a Jehová vuestro Dios; porque misericordioso es y clemente, tardo para la ira y grande en misericordia, y que se duele del castigo. Joel 2:12,13* RVR1960

Algo más que debo decir respecto al arrepentimiento, es que es Dios en Su bondad quien nos guía al arrepentimiento.

*¿O menosprecias las riquezas de su benignidad, paciencia y longanimidad, ignorando que su benignidad te guía al arrepentimiento? Romanos 2:4* RVR1960

Ahí está. Su bondad te guía al arrepentimiento.

Vemos un arrepentimiento genuino en la parábola del hijo pródigo.

Este joven malgastó toda la herencia que había recibido de su padre al punto que terminó teniendo hambre, deseando «llenar su vientre de las algarrobas que comían los cerdos» (Lucas 15:16).

Sin embargo «volvió en sí» (v.17) y regresó a su padre diciéndole «he pecado contra el cielo y contra ti» (v.21). Eso es arrepentimiento. Un completo cambio de dirección.

Y vemos cómo el padre lo recibió, diciendo:

*...traed el becerro gordo y matadlo, y comamos y hagamos fiesta; porque este mi hijo muerto era, y ha revivido; se había perdido, y es hallado. Y comenzaron a regocijarse. Lucas 15:23,24* RVR1960

Y esta es la actitud de Dios.

> *Os digo que así habrá más gozo en el cielo por un pecador que se arrepiente, que por noventa y nueve justos que no necesitan de arrepentimiento. Así os digo que hay gozo delante de los ángeles de Dios por un pecador que se arrepiente. Lucas 15:7,10* RVR1960

J.I. Packer escribiendo sobre el arrepentimiento, dice lo siguiente: «El arrepentimiento que Cristo requiere de su pueblo consiste en una firme negativa de establecer límites a las afirmaciones que él pueda hacer sobre sus vidas»[14].

## La fe

Ya que hemos visto lo que significa arrepentimiento, estudiemos ahora lo que significa «fe salvadora».

Y digo «fe salvadora», porque no estoy hablando de la fe común, o la fe natural que necesitamos para enfrentar todos los otros aspectos de nuestra vida. Ahora estamos hablando de la «fe para ser salvos». Comencemos por Efesios. Esto es lo que Pablo les dice:

> *Porque por gracia sois salvos por medio de la fe; y esto no de vosotros, pues es don de Dios; no por obras, para que nadie se gloríe. Efesios 2:8-9* RVR1960

En ese texto vemos que aunque la salvación es por gracia, esta actúa por medio de la fe. Y aún más. Esa fe no es natural, como dice «y esto no de vosotros, pues es don de Dios». Lo que quiere decir que, aún la fe que necesitamos para salvación nos es dada por Dios.

### ¿Cómo funciona esta fe en Jesucristo?

Para comenzar, debo decir que para que esa fe salvadora sea activada, primero debemos oír las buenas noticias.

En general, «la fe es por el oír, y el oír, por la palabra de Dios» (Romanos 10:17). Y esto es un principio universal para toda clase de fe.

En cuanto a la fe salvadora, específicamente, es necesario que se escuche la proclamación del evangelio para que esa fe se active.

*¿Cómo, pues, invocarán a aquel en el cual no han creído? ¿Y cómo creerán en aquel de quien no han oído? ¿Y cómo oirán sin haber quien les predique? Romanos 10:14* RVR1960

Por eso es tan importante que compartamos el evangelio con otros. Si no escuchan el mensaje de las buenas noticias, ¿cómo vendrán a Cristo?

Al oír la buena noticia, aquellos que han sido apartados para salvación desde antes, recibirán el mensaje, se arrepentirán y creerán en Jesucristo.

Siempre teniendo en cuenta que es Dios quien (nos concede) nos da potestad para creer.

*Porque a vosotros os es concedido a causa de Cristo, no sólo que creáis en él, sino también que padezcáis por él... Filipenses 1:29* RVR1960

*Mas a todos los que le recibieron, a los que creen en su nombre, les dio potestad de ser hechos hijos de Dios... Juan 1:12* RVR1960

John Murray hablando de la fe salvadora dice: La fe es una «transferencia de la confianza (que hay) en nosotros mismos y en todos los recursos humanos a la confianza sólo en Cristo para salvación. Es recibirle y descansar en Él... La fe es confianza en una persona, la persona de Cristo, el Hijo de Dios y el Salvador de los perdidos. Nos confiamos a Él. No es simplemente creerle a Él; es creer en Él y sobre Él»[15].

¿Cómo deberíamos pensar acerca de la fe en el proceso de la salvación?

La fe es como extender la mano hacia Cristo para conseguir la salvación que viene de Él.

Como dice Horatius Bonar:

*«La fe es siempre la mano extendida del mendigo, nunca el oro del rico, la fe es la ventana que deja pasar la luz, nunca es el sol. Sin mérito en sí misma, nos une a la infinita dignidad de Aquel en quien el Padre se complace; y al unirnos, nos presenta perfectos en la perfección de otro. Aunque no es el fundamento establecido en Sión, nos lleva a ese fundamento, y nos mantiene allí, arraigados y asentados, para que no*

*nos alejemos de la esperanza del evangelio. Aunque no es el evangelio, las buenas nuevas, recibe estas buenas nuevas como las verdades eternas de Dios, y le pide al alma que se regocije en ellas; aunque no es el holocausto, se detiene y mira la llama que asciende, lo que nos asegura que la ira que debería haber consumido al pecador cayó sobre el Sustituto»*[16].

## ¿Qué aprendí en este capítulo?

## Citas bíblicas claves

## Para recordar

## Cuestionario

Llene los espacios en blanco.

La ____________________ comienza con «nuestra respuesta voluntaria al llamado del evangelio».

Una verdadera conversión implica ____________________ y fe.

El arrepentimiento, debe decirse, que se refiere a la _____________ de una relación con Dios que ha sido perturbada por el pecado humano.

En general, «la fe es por el oír, y el oír, por la palabra de Dios» (Romanos 10:17). Y esto es un principio _________________ para toda clase de fe.

En cuanto a la fe salvadora, específicamente, es necesario que se escuche la ____________________ del evangelio para que esa fe se active.

# 6

# LA REGENERACIÓN

Ya que hemos estudiado sobre la conversión y dentro de ello el arrepentimiento y la fe. Ahora, ¿qué sucede a aquél que responde efectivamente al llamado a salvación? Hablemos de la regeneración.

¿Que es regeneración?

La regeneración es un término teológico también conocido como nacer de nuevo. Pablo le dice a Tito:

> *...nos salvó, no por obras de justicia que nosotros hubiéramos hecho, sino por su misericordia, por el lavamiento de la regeneración y por la renovación en el Espíritu Santo... Tito 3: 5* RVR1960

¿Cómo se lleva a cabo la regeneración?

Tanto en Efesios 2 como en Juan 3, vemos que este cambio es el resultado de la fe en Cristo.

Así como un bebé no hace nada para nacer en este mundo, no hay trabajo que una persona pueda realizar para renacer espiritualmente. Dios da nueva vida por Su gracia a los que confían en Él.

> *Porque por gracia sois salvos por medio de la fe; y esto no de vosotros, pues es don de Dios; no por obras, para que nadie se gloríe. Efesios 2:8,9* RVR1960

El concepto de regeneración va entrelazado al renacimiento.

Un maestro religioso judío llamado Nicodemo visitó a Jesús. Veamos lo que sucedió.

> *Este vino a Jesús de noche, y le dijo: Rabí, sabemos que has venido de Dios como maestro; porque nadie puede hacer estas señales que tú haces, si no está Dios con él. Respondió Jesús y le dijo: De cierto, de cierto te digo, que el que no naciere de nuevo, no puede ver el reino de Dios. Juan 3:2,3* RVR1960

Eso es lo que sucede cuando creemos en Cristo. Somos regenerados.

La regeneración es la obra del Espíritu Santo. Y cuando la gente habla acerca de «nacer de nuevo», lo que realmente están diciendo es que han sido regenerados. Eso es lo que significa. La regeneración es otra forma de decir «nacer de nuevo».

**¿Cuándo se puede considerar entonces que el hombre ha sido regenerado? ¿Antes o después de escuchar el evangelio?**

Evidentemente es necesario que primero escuchemos la predicación del evangelio. El Espíritu Santo entonces hará esa obra en nosotros para que podamos ser efectivamente atraídos a Cristo.

Como mencioné antes, hay algunas escuelas, especialmente de la persuasión calvinista que creen que la regeneración comienza antes de la conversión. Que Dios soberanamente nos regenera y por eso podemos venir a Él.

Por un lado, sí es cierto que el Señor nos atrae soberanamente y es Él quien comienza esta obra en nosotros, sin embargo no necesariamente en el orden que ellos dicen.

Creo firmemente que es una vez que respondemos al llamado, que ocurre la regeneración y la razón es porque no podemos ser sellados con el Espíritu de la promesa hasta que creamos. Ese es el orden. Como ya mencioné antes, el texto en Efesios 1:13 dice «habiendo creído en él, fuisteis sellados». Ese es el orden. Somos regenerados (nacemos de nuevo) cuando creemos.

Claro está que la regeneración es obra del Espíritu Santo (al igual que el llamado) y no depende del buen trabajo que hagamos como predicadores.

## Regeneración profetizada en el Antiguo Testamento

Algunos creen que la doctrina del nuevo nacimiento solamente se da a conocer en el Nuevo Testamento. La realidad es que Dios ya había enseñado a Su pueblo acerca de la regeneración. Es por eso que en el evento que cité antes sobre el encuentro entre Jesús y Nicodemo, Jesús le dijo a Nicodemo: ¿Eres tú maestro de Israel, y no sabes esto? (Juan 3:10). Es decir que alguien que enseñaba la ley, se supone que ya conocía este concepto —por lo menos en el aspecto profético.

Veamos algunos ejemplos sacados del Antiguo Testamento.

> *Y les daré corazón para que me conozcan que yo soy Jehová; y me serán por pueblo, y yo les seré a ellos por Dios; porque se volverán a mí de todo su corazón. Jeremías 24:7* RVR1960

> *Pero este es el pacto que haré con la casa de Israel después de aquellos días, dice Jehová: Daré mi ley en su mente, y la escribiré en su corazón; y yo seré a ellos por Dios, y ellos me serán por pueblo. Jeremías 31:33* RVR1960

> *Y les daré un corazón, y un espíritu nuevo pondré dentro de ellos; y quitaré el corazón de piedra de en medio de su carne, y les daré un corazón de carne... Ezequiel 11:19* RVR1960

> *Os daré corazón nuevo, y pondré espíritu nuevo dentro de vosotros; y quitaré de vuestra carne el corazón de piedra, y os daré un corazón de carne. Y pondré dentro de vosotros mi Espíritu, y haré que andéis en mis estatutos, y guardéis mis preceptos, y los pongáis por obra. Ezequiel 36:26-27* RVR1960

Note en estos textos mencionados cómo hablan del «corazón» o «espíritu» que es donde ocurre la regeneración. «Corazón nuevo» o «espíritu nuevo» como sinónimos donde «nuevo» quiere decir «regenerado».

## Regeneración realizada en el Nuevo Testamento

Comencemos por Juan 1. Veamos el texto. Juan para referirse a los creyentes nos dice:

> *...los cuales no son engendrados de sangre, ni de voluntad de carne, ni de voluntad de varón, sino de Dios. Juan 1:13* RVR1960

Realmente, es Dios quien da el primer paso para reconciliarnos con Él.

A veces oímos a predicadores hacer el llamado a salvación de una manera en que parece como si el pecador está en control, y le está dando una oportunidad a Dios. De hecho he escuchado a predicadores decir: «Dale una oportunidad a Jesús» o cosas como: «Él está a la puerta esperando que tú le des una oportunidad y le dejes entrar». Esto no es solamente incorrecto, también es una falta de respeto a la soberanía de Dios.

En realidad, Dios está en control y Él es quien decide cuando llamarnos eficazmente por medio de Su Espíritu. Y cuando es Él quien llama, estoy seguro que vendrás a Él. ¿Recuerda el evento de la conversión de Pablo?

Esto lo vemos claramente en el evento sobre Lidia que aparece en Hechos 16. Veamos.

> *Entonces una mujer llamada Lidia, vendedora de púrpura, de la ciudad de Tiatira, que adoraba a Dios, estaba oyendo; y el Señor abrió el corazón de ella para que estuviese atenta a lo que Pablo decía. Hechos 16:14* RVR1960

Note cómo dice que «el Señor abrió el corazón de ella», de esta forma pudo estar atenta a lo que Pablo decía.

Lidia fue salva y bautizada, e inclusive, inmediatamente comenzó a practicar la hospitalidad. Entonces, este es el orden.

Primero, Dios abrió su corazón, luego ella pudo responder con fe.

Verdadera regeneración siempre produce frutos en la vida del creyente, y mostrará evidencias de una vida transformada.

En realidad, la regeneración crea en nosotros un estado de corazón y espíritu que nos hace apartarnos de nuestro pecado y comprometernos con Cristo en la fe.

> *Todo aquel que es nacido de Dios, no practica el pecado, porque la simiente de Dios permanece en él; y no puede pecar, porque es nacido de Dios. 1 Juan 3:9* RVR1960

## ¿Qué aprendí en este capítulo?

## Citas bíblicas claves

## Para recordar

## Cuestionario

Llene los espacios en blanco.

La _______________ es un término teológico también conocido como nacer de nuevo.

El concepto de regeneración va entrelazado al ________________.

La regeneración es ____________ del Espíritu Santo.

# 7

# LA UNIÓN CON CRISTO

Habiendo hablado ya de la conversión y regeneración, pasemos a estudiar lo que ha sucedido como producto de esa regeneración. Ahora el que ha recibido el llamado a salvación, se ha arrepentido de sus pecados y por fe ha creído en Cristo como su único Señor y Salvador ha sido unido con Cristo. Esto es lo que ha sucedido. Ahora estamos en Él. ¿Qué significa esto?

Somos uno con Cristo, estamos unidos a Él, al Jesús vivo, encarnado, crucificado, resucitado y que reina por su Espíritu Santo a través de la fe.

Esa fe que Dios nos entregó y que fue forjada por el Espíritu, nos une a Jesucristo, en quien tenemos todo beneficio espiritual en esta vida y por la eternidad. Eso es grandioso. ¡Qué tremenda posición!

Eso es lo que Pablo nos dice en su carta a los Efesios.

> *Bendito sea el Dios y Padre de nuestro Señor Jesucristo, que nos bendijo con toda bendición espiritual en los lugares celestiales en Cristo... Efesios 1:3* RVR1960

De hecho, para entender mejor esta unión, leamos desde el versículo 3 hasta el 14.

> *Bendito sea el Dios y Padre de nuestro Señor Jesucristo, que nos bendijo con toda bendición espiritual en los lugares celestiales en Cristo, según nos escogió en él antes de la fundación del mundo, para que fuésemos santos y sin mancha delante de él, en amor habiéndonos predestinado para ser adoptados*

*hijos suyos por medio de Jesucristo, según el puro afecto de su voluntad, para alabanza de la gloria de su gracia, con la cual nos hizo aceptos en el Amado, en quien tenemos redención por su sangre, el perdón de pecados según las riquezas de su gracia, que hizo sobreabundar para con nosotros en toda sabiduría e inteligencia, dándonos a conocer el misterio de su voluntad, según su beneplácito, el cual se había propuesto en sí mismo, de reunir todas las cosas en Cristo, en la dispensación del cumplimiento de los tiempos, así las que están en los cielos, como las que están en la tierra. En él asimismo tuvimos herencia, habiendo sido predestinados conforme al propósito del que hace todas las cosas según el designio de su voluntad, a fin de que seamos para alabanza de su gloria, nosotros los que primeramente esperábamos en Cristo. En él también vosotros, habiendo oído la palabra de verdad, el evangelio de vuestra salvación, y habiendo creído en él, fuisteis sellados con el Espíritu Santo de la promesa, que es las arras de nuestra herencia hasta la redención de la posesión adquirida, para alabanza de su gloria. Efesios 1:3—14* RVR1960

Varias cosas a notar en este texto anterior que tienen que ver con «quienes somos» como resultado de esta unión con Cristo..

1. Nos bendijo con toda bendición espiritual
2. Nos escogió en Él
3. Habiéndonos predestinado
4. Para ser adoptados hijos suyos
5. Nos hizo aceptos en el Amado
6. En quien tenemos redención por Su sangre
7. Perdón de pecados
8. Sabiduría e inteligencia
9. [Estamos en] Su voluntad
10. [Según] Su beneplácito
11. [Nos ha reunido] en Cristo
12. [Recibimos] herencia
13. [Para] alabanza de su gloria (Dios se glorifica en nosotros)

14. [Fuimos] sellados
15. [Hasta] la redención de la posesión adquirida (es decir del cuerpo)
16. [Y todo lo que ha hecho es] para alabanza de Su gloria

Veamos otros textos que nos dan una clara imagen de esta unión.

Primero, note las palabras «en quién». En (o dentro de) Cristo somos «edificados para morada de Dios en el Espíritu». Es decir que crecemos unidos con Él.

> *...edificados sobre el fundamento de los apóstoles y profetas, siendo la principal piedra del ángulo Jesucristo mismo, en quien todo el edificio, bien coordinado, va creciendo para ser un templo santo en el Señor; en quien vosotros también sois juntamente edificados para morada de Dios en el Espíritu. Efesios 2:20-22* RVR1960

Esto es paralelo a la imagen de una vid y sus ramas.

> *Yo soy la vid, vosotros los pámpanos; el que permanece en mí, y yo en él, éste lleva mucho fruto; porque separados de mí nada podéis hacer. Juan 15:5* RVR1960

Ahora somos miembros de Su cuerpo.

> *...y sometió todas las cosas bajo sus pies, y lo dio por cabeza sobre todas las cosas a la iglesia, la cual es su cuerpo, la plenitud de Aquel que todo lo llena en todo. Efesios 1:22,23* RVR1960

> *Porque así como el cuerpo es uno, y tiene muchos miembros, pero todos los miembros del cuerpo, siendo muchos, son un solo cuerpo, así también Cristo. 1 Corintios 12:12* RVR1960

Somos Su esposa.

> *Por esto dejará el hombre a su padre y a su madre, y se unirá a su mujer, y los dos serán una sola carne. Grande es este misterio; mas yo digo esto respecto de Cristo y de la iglesia. Efesios 5:31,32* RVR1960

*Porque os celo con celo de Dios; pues os he desposado con un solo esposo, para presentaros como una virgen pura a Cristo. 2 Corintios 11:2* RVR1960

Y estos son beneficios que recibimos en esa unión.

Los creyentes somos justificados en Cristo, santificados en Cristo, adoptados en Cristo, preservados en Cristo y glorificados en Cristo.

**Poseemos vida eterna en Cristo**

*Porque la paga del pecado es muerte, mas la dádiva de Dios es vida eterna en Cristo Jesús Señor nuestro. Romanos 6:23* RVR1960

**Somos justificados en Cristo**

*Justificados, pues, por la fe, tenemos paz para con Dios por medio de nuestro Señor Jesucristo... Romanos 5:1* RVR1960

**Glorificados en Cristo**

*...y a los que justificó, a éstos también glorificó... Romanos 8:30* RVR1960

*Por tanto, nosotros todos, mirando a cara descubierta como en un espejo la gloria del Señor, somos transformados de gloria en gloria en la misma imagen, como por el Espíritu del Señor. 2 Corintios 3:18* RVR1960

**Santificados en Cristo**

*...a la iglesia de Dios que está en Corinto, a los santificados en Cristo Jesús, llamados a ser santos con todos los que en cualquier lugar invocan el nombre de nuestro Señor Jesucristo, Señor de ellos y nuestro... 1 Corintios 1:2* RVR1960

**Llamados en Cristo**

*...entre las cuales estáis también vosotros, llamados a ser de Jesucristo... Romanos 1:6* RVR1960

*Y sabemos que a los que aman a Dios, todas las cosas les ayudan a bien, esto es, a los que conforme a su propósito son llamados. Romanos 8:28* RVR1960

**Hechos vivos en Cristo**

*...aun estando nosotros muertos en pecados, nos dio vida juntamente con Cristo (por gracia sois salvos)... Efesios 2:5* RVR1960

**Creados nuevamente en Cristo**

*De modo que si alguno está en Cristo, nueva criatura es; las cosas viejas pasaron; he aquí todas son hechas nuevas. 2 Corintios 5:17* RVR1960

**Adoptados como hijos de Dios en Cristo**

*...pues todos sois hijos de Dios por la fe en Cristo Jesús... Gálatas 3:26* RVR1960

**Escogidos en Cristo**

*...según nos escogió en él antes de la fundación del mundo, para que fuésemos santos y sin mancha delante de él... Efesios 1:4* RVR1960

**Resucitados con Cristo**

*Si, pues, habéis resucitado con Cristo, buscad las cosas de arriba, donde está Cristo sentado a la diestra de Dios. Colosenses 3:1* RVR1960

Cuando Pablo se refiere al creyente, lo hace diciendo que es una persona que está «en Cristo» o «en el Señor».

*Saludad a Priscila y a Aquila, mis colaboradores en Cristo Jesús... Saludad a Andrónico y a Junias, mis parientes y mis compañeros de prisiones, los cuales son muy estimados entre los apóstoles, y que también fueron antes de mí en Cristo. Saludad a Amplias, amado mío en el Señor. Saludad a Herodión, mi pariente. Saludad a los de la casa de Narciso, los cuales están en el Señor. Saludad a Trifena y a Trifosa, las cuales trabajan en el Señor. Saludad a la amada Pérsida, la cual ha trabajado mucho en el Señor. Saludad a Rufo, escogido en el Señor, y a su madre y mía. Romanos 16:3,7,8,11—13* RVR1960

*Saludad a todos los santos en Cristo Jesús. Filipenses 4:21* RVR1960

*...a los santos y fieles hermanos en Cristo que están en Colosas: Gracia y paz sean a vosotros, de Dios nuestro Padre y del Señor Jesucristo. Colosenses 1:2* RVR1960

John Murray escribiendo sobre la unión con Cristo dice: «La unión con Cristo es realmente la verdad central de toda la doctrina de la salvación, no sólo en su aplicación, sino también en su logro definitivo en la obra consumada de Cristo»[17].

¡Que bendición! ¡Qué gozo! Conocer quienes somos en Cristo nos trae seguridad y reposo.

En el siguiente capítulo hablaremos de la justificación.

## ¿Qué aprendí en este capítulo?

## Citas bíblicas claves

## Para recordar

## Cuestionario

Llene los espacios en blanco.

La fe que Dios nos entregó y que fue forjada por el Espíritu,
nos ________ a Jesucristo.

Los __________________ somos justificados en Cristo, santificados en Cristo, adoptados en Cristo, preservados en Cristo y glorificados en Cristo.

Cuando Pablo se refiere al creyente, lo hace diciendo que es una persona que __________ «en Cristo».

# 8

# LA JUSTIFICACIÓN

La justificación es una declaración judicial de parte de Dios para con aquellos que ahora están en Cristo.

Dios nos «declara justos», no debido a nuestras obras. Él nos imputa (acredita) la justicia de Su Hijo Jesucristo.

La palabra «justificación» viene del griego δικαιοσις dikaiosis[18].

El acto de «justificar» (del griego dikaio) es un acto forense. Es una declaración que Dios emite como Juez[19]. Es ahora legalmente la posición que Dios nos ha otorgado. Somos pues, justos, limpios, «no culpables» ante Él —y por eso es que podemos tener paz para con Dios. Así lo dice Pablo en Romanos.

> *Justificados, pues, por la fe, tenemos paz para con Dios por medio de nuestro Señor Jesucristo... Romanos 5:1* RVR1960

Pablo escribió también sobre esta justicia imputada en lo que llamamos «el gran intercambio».

> *Al que no conoció pecado, por nosotros lo hizo pecado, para que nosotros fuésemos hechos justicia de Dios en él. 2 Corintios 5:21* RVR1960

Es un intercambio que no parece ser justo, pues Cristo que es verdaderamente justo «que no conoció pecado», fue hecho pecado, por nosotros y a cambio nosotros «que somos pecadores» somos declarados justos.

En otras palabras, nosotros le pasamos a Cristo nuestro pecado a cambio de Su justicia.

Parece ser un mal negocio en el que Dios sale perdiendo y nosotros ganando, lo cual nos muestra el profundo amor de Dios por nosotros al estar dispuesto a cambiarnos la justicia de Su Hijo por nuestro pecado.

Por eso es que la doctrina de la justificación, es posiblemente la más grande e importante de todas las doctrinas de nuestra fe, como lo dice Matthew Leighton:

> *«La doctrina más distintiva de la fe evangélica es la justificación por la fe sola. No hay ninguna otra religión en el mundo que tenga semejante enseñanza. No sólo es una doctrina distintiva, sino que viene a ser la única solución al problema más importante de la humanidad: su propia injusticia y la ruptura de su relación con el Creador»*[20].

## La ley de Moisés y la justicia de Dios

Los que estaban bajo la ley tenían la tendencia a jactarse de su «propia justicia». Una justicia conseguida por medio del buen comportamiento y la obediencia a la ley. Claro que esta era una justicia imperfecta, incompleta, pues nadie pudo jamás guardar perfectamente esa ley —excepto Jesucristo que es completamente Justo.

Veamos lo que Pablo dice al respecto:

> *Aunque yo tengo también de qué confiar en la carne. Si alguno piensa que tiene de qué confiar en la carne, yo más: circuncidado al octavo día, del linaje de Israel, de la tribu de Benjamín, hebreo de hebreos; en cuanto a la ley, fariseo; en cuanto a celo, perseguidor de la iglesia; en cuanto a la justicia que es en la ley, irreprensible. Pero cuantas cosas eran para mí ganancia, las he estimado como pérdida por amor de Cristo. Y ciertamente, aun estimo todas las cosas como pérdida por la excelencia del conocimiento de Cristo Jesús, mi Señor, por amor del cual lo he perdido todo, y lo tengo por basura, para ganar a Cristo, y ser hallado en él, no teniendo mi propia justicia, que es por la ley, sino la que es por la fe de Cristo, la justicia que es de Dios por la fe… Filipenses 3:4—9* RVR1960

En ese texto Pablo dice, primero que él era «en cuanto a la justicia que es en la ley, irreprensible». Esto es porque Pablo había practicado un fariseísmo estricto. Sin embargo, más adelante dice que esa justicia que es por la ley es una «justicia propia». Pablo nos da un claro contraste entre la justicia propia y la justicia de Cristo cuando dice: «...no teniendo mi propia justicia, que es por la ley, sino la que es por la fe de Cristo...».

Claro está que la ley produce jactancia, pues el hombre se atribuye a sí mismo el resultado de su buen comportamiento, pero esto es incompleto, porque la ley «no pudo perfeccionar nada» (Hebreos 7:19), pues era un pacto «con defecto» (Hebreos 8:7).

## Justificados solo por la fe, solo en Cristo, no por obras

Justicia, de acuerdo al Catolicismo Romano tiene una connotación diferente. Debemos entender con claridad esta diferencia, pues aún dentro de círculos protestantes y evangélicos muchos suelen esquivar el contraste.

Los teólogos católicos se refieren a la justificación como «algo que nos acredita la gracia para que podamos producir buenas obras y ganar nuestro camino al cielo».

De hecho, en el Catecismo de la Iglesia Católica, publicado en el sitio oficial del Vaticano, encontramos lo siguiente: «La justicia es la virtud moral que consiste en la constante y firme voluntad de dar a Dios y al prójimo lo que les es debido»[21].

Amados lectores, evidentemente esta es una doctrina de justificación basada en obras y no en el evangelio.

Si la Iglesia Católica hubiera tenido una doctrina correcta en cuanto a la justificación, no se hubiera necesitado una reforma. La doctrina de la justificación por fe sola, está en el centro de la iluminación[22] que Dios le dio al reformador Martín Lutero, cuando el texto bíblico de Romanos 1 tomó vida en su espíritu.

> *Porque en el evangelio la justicia de Dios se revela por fe y para fe, como está escrito: Mas el justo por la fe vivirá. Romanos 1:17* RVR1960

Así es. «Mas el justo por la fe vivirá» es la base de la reforma. Todos los otros puntos de las 95 tesis[23], incluyendo la eliminación de las indulgencias, parten de ese principio. La justificación de Dios es por fe y fe solamente.

Entonces, no es que Cristo nos acredite Su justicia para que podamos hacer buenas obras y nos ganemos ir al cielo, —muy lejos de eso— sino que Él nos justifica, lo cual nos da la entrada al cielo independientemente de nuestras obras.

Si es por obras, entonces sería «justicia propia» como la de los fariseos (Mateo 5:20), pero no es por obras «para que nadie se gloríe».

> *Porque por gracia sois salvos por medio de la fe; y esto no de vosotros, pues es don de Dios; no por obras, para que nadie se glorie. Efesios 2:8,9* RVR1960

No somos salvos (justificados) «por» obras, pero sí «para» buenas obras (como lo dice el versículo que sigue). Estas buenas obras son predestinadas y se manifiestan como resultado de el haber sido regenerados. Son un fruto.

> *Porque somos hechura suya, creados en Cristo Jesús para buenas obras, las cuales Dios preparó de antemano para que anduviésemos en ellas. Efesios 2:10* RVR1960

Los textos sagrados son claros en este punto de la doctrina de la justificación. Mire lo que dice Pablo a los Gálatas.

> *...sabiendo que el hombre no es justificado por las obras de la ley, sino por la fe de Jesucristo, nosotros también hemos creído en Jesucristo, para ser justificados por la fe de Cristo y no por las obras de la ley, por cuanto por las obras de la ley nadie será justificado. Gálatas 2:16* RVR1960

Ahí está muy claro. Vamos a procesar ese texto mirando cada afirmación repetida...

1. el hombre no es justificado por las obras de la ley
2. sino por la fe de Jesucristo
3. hemos creído en Jesucristo, para ser justificados por la fe de Cristo

4. y no por las obras de la ley

5. por cuanto por las obras de la ley nadie será justificado

¿Puede ver cómo Pablo recalca este concepto? ¿Por qué cree que repite las mismas afirmaciones?

No tenemos duda. El hombre es justificado por la fe de Cristo
y no por las obras.

Y no hay excepciones, pues Pablo afirma que «por las obras de la ley nadie será justificado». Hago hincapié en la palabra «nadie».

## ¿Qué aprendí en este capítulo?

## Citas bíblicas claves

## Para recordar

## Cuestionario

Llene los espacios en blanco.

La justificación es una ________________ judicial de parte de Dios para con aquellos que ahora están en Cristo.

Dios nos «________________ justos», no debido a nuestras obras.

Dios nos ______________ (acredita) la justicia de Su Hijo Jesucristo.

No somos ____________ (justificados) «por» obras, pero sí «para» buenas obras.

El hombre no es justificado por las obras de la __________.

El hombre es justificado por la _________ de Cristo y no por las obras.

# 9

# LA ADOPCIÓN

> *...pero a todos los que creyeron en él y lo recibieron, les dio el derecho de llegar a ser hijos de Dios. Juan 1:12* NTV

Podemos decir que la adopción es una gracia más allá y por encima de la justificación. En la justificación, Dios Juez absuelve al pecador de todos los cargos en su contra. Si fuera una corte humana, el acusado está entonces libre de irse, y él y el juez posiblemente nunca se verán de nuevo, pero con Dios es diferente. El Juez Divino no sólo absuelve al pecador, también invita al pecador a su hogar —no sólo por una noche— Él nos adopta como suyos para siempre, nos dice que debemos llamarlo «Padre», y nos pronuncia herederos legítimos de todo lo que Él tiene[24].

**¿Cuándo sucede?**

La adopción viene después de que un pecador se convierte a Cristo y es inmediata. No es un proceso y no se puede ganar por obras. De la misma manera en que el creyente es justificado cuando viene a Cristo, así es también adoptado por nuestro Padre celestial. Ahora es parte de la familia de Dios.

El versículo que mencioné antes en Juan 1 en la versión *Nueva Traducción Viviente* dice que una vez que creímos y recibimos a Cristo, Él nos dio «el derecho» de llegar a ser hijos de Dios.

La *Reina Valera* usa la palabra «potestad».

> *Mas a todos los que le recibieron, a los que creen en su nombre, les*

*dio potestad de ser hechos hijos de Dios... Juan 1:12* RVR1960

Depende a qué generación usted pertenece. Para los más jóvenes el uso de la palabra «derecho» quizá sea más claro. La palabra «potestad» es más usada en traducciones antiguas, pero como quiera que sea, el significado es impresionante.

¿Se imagina que Dios, el Creador del universo, le da a usted «derecho» —lo cual tiene una connotación legal que implica «herencia»— a Su paternidad?

El pecador, al haber sido perdonado es constituido justo a los ojos de Dios. Es por tanto justificado, y adoptado en la familia de Dios.

Esto es relación. Hemos sido traídos a una relación con Dios.

La doctrina de la justificación establece la relación del creyente con Dios jurídicamente, mientras que la doctrina de la adopción establece nuestra relación con Dios como hijos.

Entonces podemos decir que Dios además de justificarnos, nos da una relación íntima con Él. Ahora es nuestro Padre.

Veamos varios puntos dentro de esta doctrina.

1. Dios predestinó nuestra adopción en Cristo desde antes de la fundación del mundo.

> *...según nos escogió en él antes de la fundación del mundo, para que fuésemos santos y sin mancha delante de él, en amor habiéndonos predestinado para ser adoptados hijos suyos por medio de Jesucristo, según el puro afecto de su voluntad... Efesios 1:4,5* RVR1960

Esto quiere decir que nuestra adopción ha sido Su plan desde antes de la fundación del mundo.

2. El sacrificio de Cristo no fue sólo para nuestra redención, también para nuestra adopción.

> *Y por cuanto sois hijos, Dios envió a vuestros corazones el Espíritu*

*de su Hijo, el cual clama: ¡Abba, Padre! Gálatas 4:6* RVR1960

Esto es tremendo. Por medio del sacrificio de Cristo en la cruz, somos hechos hijos.

3. La seguridad de nuestra salvación está entrelazada en nuestra adopción.

*Porque todos los que son guiados por el Espíritu de Dios, éstos son hijos de Dios. Pues no habéis recibido el espíritu de esclavitud para estar otra vez en temor, sino que habéis recibido el espíritu de adopción, por el cual clamamos: ¡Abba, Padre!*
*El Espíritu mismo da testimonio a nuestro espíritu, de que somos hijos de Dios. Y si hijos, también herederos; herederos de Dios y coherederos con Cristo, si es que padecemos juntamente con él, para que juntamente con él seamos glorificados. Romanos 8:14—17* RVR1960

Hemos recibido el «espíritu de adopción» lo que permite que no estemos «otra vez en temor». Esto es seguridad en el creyente. Ahora «el Espíritu mismo da testimonio a nuestro espíritu, de que somos hijos de Dios». En otras palabras, tenemos la seguridad de que somos hijos.

4. Al haber recibido el Espíritu de adopción, comenzamos a esperar con anhelo la etapa final de nuestra redención, —cuando nuestro cuerpo mortal sea redimido de su corrupción y glorificado como el de Cristo.

*...y no sólo ella, sino que también nosotros mismos, que tenemos las primicias del Espíritu, nosotros también gemimos dentro de nosotros mismos, esperando la adopción, la redención de nuestro cuerpo. Romanos 8:23* RVR1960

Para completar este punto, puedo decir que hemos sido adoptados como hijos de Dios, y que los efectos de esa adopción repercuten mucho más allá de esta vida.

La adopción es un cambio de paradigma en la vida del creyente. Por el hecho de que Dios se relaciona con nosotros como Padre, esto significa que:

Dios nos ama como Padre.

*Mirad cuál amor nos ha dado el Padre, para que seamos llamados hijos de Dios; por esto el mundo no nos conoce, porque no le conoció a él». 1 Juan 3:1* RVR1960

Nuestro Padre celestial se compadece de nosotros.

> *Como el padre se compadece de los hijos, se compadece Jehová de los que le temen. Porque él conoce nuestra condición; se acuerda de que somos polvo. Salmos 103:13,14* RVR1960

Dios nos provee y nos da buenas dádivas.

> *Pues si vosotros, siendo malos, sabéis dar buenas dádivas a vuestros hijos, ¿cuánto más vuestro Padre que está en los cielos dará buenas cosas a los que le pidan? Mateo 7:11* RVR1960

Nuestro Padre nos guía por el Espíritu Santo.

> *Porque todos los que son guiados por el Espíritu de Dios, éstos son hijos de Dios. Romanos 8:14* RVR1960

Nuestro Padre nos disciplina y nos preserva.

> *Y habéis ya olvidado la exhortación que como a hijos se os dirige, diciendo: Hijo mío, no menosprecies la disciplina del Señor, ni desmayes cuando eres reprendido por él; porque el Señor al que ama, disciplina, y azota a todo el que recibe por hijo. Hebreos 12:5-6* RVR1960

Nos incluye en una familia.

> *No reprendas al anciano, sino exhórtale como a padre; a los más jóvenes, como a hermanos; a las ancianas, como a madres; a las jovencitas, como a hermanas, con toda pureza. 1 Timoteo 5:1-2* RVR1960

Nuestro Padre celestial nos hace herederos.

> *Así que ya no eres esclavo, sino hijo; y si hijo, también heredero de Dios por medio de Cristo. Gálatas 4:7* RVR1960

¿Herederos de qué? De todo.

> *Así que, ninguno se gloríe en los hombres; porque todo es vuestro: sea Pablo, sea Apolos, sea Cefas, sea el mundo, sea la vida, sea la muerte, sea lo presente, sea lo por venir, todo es vuestro, y vosotros de Cristo, y Cristo de Dios. 1 Corintios 3:21—23* RVR1960

*En él asimismo tuvimos herencia, habiendo sido predestinados conforme al propósito del que hace todas las cosas según el designio de su voluntad... Efesios 1:11* RVR1960

*...que es las arras de nuestra herencia hasta la redención de la posesión adquirida, para alabanza de su gloria. Efesios 1:14* RVR1960

*...alumbrando los ojos de vuestro entendimiento, para que sepáis cuál es la esperanza a que él os ha llamado, y cuáles las riquezas de la gloria de su herencia en los santos Efesios 1:18* RVR1960

*...con gozo dando gracias al Padre que nos hizo aptos para participar de la herencia de los santos en luz... Colosenses 1:12* RVR1960

Para concluir este capítulo sobre la adopción, quisiera que leamos lo que dijo Jonathan Edwards.

*«Dios hace de Sus siervos Sus hijos: todos los que le sirven, los adopta y les da el derecho a los gloriosos privilegios de los hijos de Dios. Él no los llama más siervos, sino hijos. Él se manifiesta a ellos, los hace Sus amigos íntimos, Sus herederos y coherederos con Su Hijo. Él derrama Su amor sobre ellos y los abraza en Sus brazos, y mora en sus almas y hace Su morada en ellos, y se entrega a ellos para ser Su Padre y Su porción. En esta vida, con frecuencia los refrescará con los rocíos espirituales del cielo. Los iluminará con rayos de luz y amor. Pero de ahora en adelante, los hará perfectamente felices, para siempre. ¿Hubo alguna vez un Maestro tan bueno como este?»*[25]

## ¿Qué aprendí en este capítulo?

## Citas bíblicas claves

## Para recordar

## Cuestionario

Llene los espacios en blanco.

Podemos decir que la ____________ es una gracia más allá y por encima de la justificación.

La adopción viene después de que un pecador se convierte a Cristo y es __________________.

El pecador, al haber sido perdonado es ________________ justo a los ojos de Dios. Es por tanto justificado, y adoptado en la familia de Dios.

Al haber recibido el Espíritu de adopción, comenzamos a esperar con anhelo la etapa final de nuestra _________________.

# 10

# LA SANTIFICACIÓN

En lenguaje teológico, muchos usan el término «santificación» para referirse en gran medida a algo que hacemos —algo que normalmente tiene que ver con nuestro crecimiento en santidad y que se desarrolla progresivamente en el creyente. Sin embargo, la Biblia usa el término «santificación» de una manera más definitiva, indicando el estado santo que ya tenemos a través de nuestra unión con Cristo.

Estas categorías al pasar de los años se han mezclado, y los teólogos a menudo llaman al estado de santidad que tenemos en Cristo «santificación definitiva» o «posicional», mientras que a nuestro esfuerzo por crecer en la piedad y virtud cristiana le llaman santificación «progresiva».

El peligro es que como creyentes a menudo tenemos la tendencia a olvidar la naturaleza definitiva de la santificación y sólo enfocarnos en el aspecto progresivo de la vida diaria.

Si usted estudia los modelos que usan algunos grupos, especialmente de inclinación arminiana[26], notará que para la mayoría, «santificación» es algo que «hacemos», no algo que recibimos. Para algunos significa más perfeccionismo en cuanto a purificación, para otros puede ser progreso en nuestras disciplinas cristianas, para otros puede ser más entrega y para otros puede ser cierta experiencia, pero por lo regular en la mayor parte de estas denominaciones o grupos, se entiende como santificación «algo que hacemos».

En contraste, los escritores del Nuevo Testamento usan esta terminología de «santificación» o «santidad» en términos de quiénes somos y qué tenemos en Cristo primero, y luego el crecimiento en nuestra relación con Él.

Mal entender este concepto, nos meterá en una práctica insegura donde siempre estaremos tratando y nunca llegamos, lo que nos puede deslizar a ascetismo[27] y aún a buscar santificación por medio de obras (esfuerzos humanos).

Veamos primero los textos que nos declaran esta relación posicional.

Note en el siguiente texto que Pablo primero dice «a los santificados en Cristo Jesús», es decir, algo que ya somos (posición) y luego dice «llamados a ser santos» o a practicar la santidad que hemos recibido.

> *...a la iglesia de Dios que está en Corinto, a los santificados en Cristo Jesús, llamados a ser santos con todos los que en cualquier lugar invocan el nombre de nuestro Señor Jesucristo, Señor de ellos y nuestro... 1 Corintios 1: 2* RVR1960

La Nueva Traducción Viviente dice «que han sido llamados por Dios para ser su pueblo santo. Él los hizo santos por medio de Cristo Jesús». Ahí vemos la relación entre estado y proceso.

También en el versículo 30 de ese capítulo vemos una tremenda declaración.

> *Mas por él estáis vosotros en Cristo Jesús, el cual nos ha sido hecho por Dios sabiduría, justificación, santificación y redención. 1 Corintios 1:30* RVR1960

¿Nota en ese versículo como «santificación» es puesta a la altura de justificación y redención?

¿Y, cómo fuimos redimidos y justificados?

Ciertamente no fue por obras (esfuerzo humano). Dios nos salvó y justificó totalmente por gracia, por medio de la fe (Efesios 2:8; Romanos 5:1). De la misma manera somos santificados.

Ya que estamos justificados podemos caminar en justicia. De la misma manera, ya que estamos santificados, podemos caminar en santidad.

Ya hemos sido santificados.

*Y esto erais algunos; mas ya habéis sido lavados, ya habéis sido santificados, ya habéis sido justificados en el nombre del Señor Jesús, y por el Espíritu de nuestro Dios. 1 Corintios 6:11* RVR1960

*Y ahora, hermanos, os encomiendo a Dios, y a la palabra de su gracia, que tiene poder para sobreedificaros y daros herencia con todos los santificados. Hechos 20:32* RVR1960

*En esa voluntad somos santificados mediante la ofrenda del cuerpo de Jesucristo hecha una vez para siempre. Hebreos 10:10* RVR1960

*...porque con una sola ofrenda hizo perfectos para siempre a los santificados. Hebreos 10:14* RVR1960

*...elegidos según la presciencia de Dios Padre en santificación del Espíritu, para obedecer y ser rociados con la sangre de Jesucristo: Gracia y paz os sean multiplicadas. 1 Pedro 1: 2* RVR1960

En ninguno de esos textos vemos la «santificación» como algo que tenemos que ganarnos. Por el contrario, vemos la frase «a los santificados» o la palabra «santificados» en tiempo pasado. Algo ya hecho. Pedro dice que fuimos «elegidos en santificación».

Entonces, somos «santos» en virtud del llamado de Dios y nuestra unión de fe con Él.

Entendamos la naturaleza de la santificación en estos 4 puntos.

1. La santificación es permanente y ocurrió cuando fuimos regenerados (nacidos de nuevo). Cuando somos regenerados y unidos con Cristo, hay una separación del pecado, por causa de que hemos sido hechos «santos».

En Romanos 6:2, Pablo dice que «hemos muerto al pecado». Ya no estamos bajo el poder del pecado. Esa separación del pecado es a lo que llamamos «santificación definitiva».

Aunque antes éramos esclavos del pecado, ahora hemos sido definitivamente santificados, por medio de nuestra unión con Cristo en Su muerte y resurrección. Ya no somos esclavos del pecado y ya no estamos bajo la ley, sino bajo la gracia.

Wayne Grudem lo dice de esta forma:

*«Una vez que hemos nacido de nuevo, hay un cambio moral que ocurre en nosotros de tal manera que no podemos seguir pecando como un hábito o patrón de vida (1 Juan 3:9), porque el poder de la nueva vida espiritual dentro de nosotros nos impide ceder a una vida de pecado»*[28].

2. Aunque la Biblia nos afirma la «santificación definitiva», también nos enseña que la santificación una vez dada, pasa a ser un proceso de vida de continuo crecimiento. Es decir, hemos sido santificados para caminar en santidad. Podemos crecer en santidad.

Esta es una transformación progresiva que ocurre en la vida del que ha sido santificado.

*Por tanto, nosotros todos, mirando a cara descubierta como en un espejo la gloria del Señor, somos transformados de gloria en gloria en la misma imagen, como por el Espíritu del Señor. 2 Corintios 3:18* RVR1960

Pablo nos habla en Filipenses de su propio crecimiento en santificación.

*Hermanos, yo mismo no pretendo haberlo ya alcanzado; pero una cosa hago: olvidando ciertamente lo que queda atrás, y extendiéndome a lo que está delante, prosigo a la meta, al premio del supremo llamamiento de Dios en Cristo Jesús. Filipenses 3:13-14* RVR1960

Es interesante que Pablo no se considera a sí mismo perfectamente santo. Él sabe que necesita crecer. Él sabe que todavía hay un trabajo de santificación trabajando en él por medio del Espíritu Santo, que lo santifica más conforme a la imagen del Hijo. De igual manera sucede con nosotros. Esa es la carrera cristiana, y siempre hay espacio para crecer.

3. Al mismo tiempo que somos conformados a la imagen de Cristo Jesús, debemos entender que la santidad perfecta (en cuanto a nuestra condición) nunca se ha obtenido en esta vida. Ese proceso nunca se completará en esta vida. Sólo en la muerte, cuando abandonemos el «cuerpo de la humillación»,

es que llegamos a ser semejantes «al cuerpo de la gloria suya» (Filipenses 3:21).

Mire lo que dice Juan al respecto.

*Amados, ahora somos hijos de Dios, y aún no se ha manifestado lo que hemos de ser; pero sabemos que cuando él se manifieste, seremos semejantes a él, porque le veremos tal como él es. Y todo aquel que tiene esta esperanza en él, se purifica a sí mismo, así como él es puro.1 Juan 3:2,3* RVR1960

4. La santificación es un doble proceso. Primero por el trabajo que Dios ya hizo al declararnos «santos» y segundo, nuestra responsabilidad humana al querer conocerle más y asemejarnos más a Él.

*Por tanto, amados míos, como siempre habéis obedecido, no como en mi presencia solamente, sino mucho más ahora en mi ausencia, ocupaos en vuestra salvación con temor y temblor, porque Dios es el que en vosotros produce así el querer como el hacer, por su buena voluntad». Filipenses 2:12-13* RVR1960

«Ocuparnos de nuestra salvación» no es presentado en el tono que muchos usan para decir que la salvación se pierde. Más bien es una cuestión de mantenimiento. Cuidar y crecer aquello que hemos recibido.

El siguiente texto de Pablo a los Tesalonicenses nos habla de este proceso doble.

*Y el mismo Dios de paz os santifique por completo; y todo vuestro ser, espíritu, alma y cuerpo, sea guardado irreprensible para la venida de nuestro Señor Jesucristo. 1 Tesalonicenses 5:23* RVR1960

**La obra del Espíritu Santo en la santificación**

En lo que corresponde a nuestra santificación, Dios es el actor principal y el Espíritu Santo es la persona de la Deidad más activa en este proceso.

Por esa razón, Pablo al escribir a los Gálatas, dice: «Si vivimos por el Espíritu, andemos también por el Espíritu» (Gálatas 5:25). Y a los Romanos dice:

*...porque si vivís conforme a la carne, moriréis; mas si por el Espíritu hacéis morir las obras de la carne, viviréis. Romanos 8:13* RVR1960

El Espíritu de santidad trabaja en nuestro interior para cambiar nuestras pasiones, deseos, actitudes y acciones.

Pablo nos muestra la dependencia que tenemos en obra del Espíritu Santo para nuestra santificación.

## ¿Qué aprendí en este capítulo?

## Citas bíblicas claves

## Para recordar

## Cuestionario

Llene los espacios en blanco.

Ya que estamos justificados podemos caminar en justicia. De la misma manera, ya que estamos _______________, podemos caminar en santidad.

Aunque antes éramos esclavos del pecado, ahora hemos sido definitivamente santificados, por medio de nuestra _______________ con Cristo en Su muerte y resurrección.

En lo que corresponde a nuestra santificación, Dios es el ____________ principal y el Espíritu Santo es la persona de la Deidad más activa en este proceso.

El Espíritu de ______________ trabaja en nuestro interior para cambiar nuestras pasiones, deseos, actitudes y acciones.

# 11

# LA PERSEVERANCIA DE LOS SANTOS

> *...estando persuadido de esto, que el que comenzó en vosotros la buena obra, la perfeccionará hasta el día de Jesucristo... Filipenses 1:6* RVR1960

Allí está la promesa de Dios de que lo que Él comienza en nuestras almas, Él lo completa. Dios no es solamente el alfa de nuestra salvación, también es el omega.

La «perseverancia de los santos» significa que todo verdadero «santo», o en otras palabras, todos los que realmente han sido «santificados por la ofrenda del cuerpo de Jesucristo una vez para siempre» (Hebreos 10:10), ciertamente perseverarán en la fe hasta el fin. No significa que los verdaderos cristianos nunca tendrán temporadas de duda, ni caerán en el pecado, sino que Dios siempre hará que su fe triunfe al final, y nunca permitirá que permanezcan indefinidamente en pecado grave, sino continuará la obra que Él ha comenzado en ellos, llevándola hasta la perfección en el Día de Jesucristo[29].

John Murray escribió lo siguiente sobre la doctrina de la perseverancia:

> *«Para colocar la doctrina de la perseverancia en la debida luz, necesitamos saber lo que no es. No significa que todo aquel que profesa fe en Cristo y que es aceptado como creyente en la comunión de los santos esté seguro por la eternidad y pueda tener la seguridad de la salvación eterna. Nuestro Señor mismo advirtió a Sus seguidores en los días de Su carne cuando dijo a los judíos que creían en Él: 'Si vosotros permaneciereis en mi palabra, seréis verdaderamente mis discípulos,*

*y conoceréis la verdad, y la verdad os hará libres' (Juan 8:31,32). Él estableció un criterio por el cual los verdaderos discípulos pueden ser distinguidos, y ese criterio es la continuidad en la Palabra de Jesús»* [30].

La perseverancia no significa que todo aquél que dice ser cristiano y se congrega en una iglesia, automáticamente tendrá la seguridad de su salvación.

*No todo el que me dice: Señor, Señor, entrará en el reino de los cielos, sino el que hace la voluntad de mi Padre que está en los cielos. Mateo 7:21* RVR1960

Las congregaciones están llenas de personas que son atraídas por beneficios temporales y sin embargo no han sido renovadas. Y más hoy en día cuando abundan «iglesias de uso fácil» que se acomodan a cualquier persuasión.

Hoy existen iglesias donde el mensaje del domingo se trata de usted y no de Cristo. El orador, con mucha elocuencia y estilo fluido en la más reciente moda y aceptación cultural, le motivará a cómo tener más éxito y una mejor vida llena de trofeos y triunfos temporales. Le levantará su ego, autoestima y sentido de satisfacción, pero no habrá transformación. Usted no morirá a sus pecados y por no haber muerto, tampoco resucitará con Cristo.

Sin embargo, aquellos que genuinamente han sido regenerados, justificados, adoptados, y santificados, en Cristo pueden gozar de la certeza de que —aparte de sus errores y flaquezas— su salvación está segura y es ininterrumpidamente eterna.

Dios preservará a los que son de Él hasta el fin.

Entonces, la gracia de Dios no solamente nos salva, también nos preserva.

*Pues mucho más, estando ya justificados en su sangre, por él seremos salvos de la ira. Porque si siendo enemigos, fuimos reconciliados con Dios por la muerte de su Hijo, mucho más, estando reconciliados, seremos salvos por su vida. Romanos 5:9,10* RVR1960

Y de la misma manera que tus obras no fueron lo suficientemente buenas como para salvarte, tampoco te pueden preservar salvo. Fue por gracia al principio y será por gracia hasta el final. Esto nos da confianza y reposo. Nuestra salvación en Cristo está segura.

Los verdaderos cristianos no pueden perder su salvación.

Veamos los dos lados de esta afirmación.

**1. Verdaderos creyentes perseverarán hasta el final**

Este concepto es muy claro a través de las Escrituras.

> *Porque he descendido del cielo, no para hacer mi voluntad, sino la voluntad del que me envió. Y esta es la voluntad del Padre, el que me envió: Que de todo lo que me diere, no pierda yo nada, sino que lo resucite en el día postrero. Juan 6:38,39* RVR1960

Pon atención detenidamente a la afirmación de Jesús en este pasaje.

Jesús no perderá a ninguno de los que el Padre le dio.

Esto es una promesa. Jesucristo nos asegura que alguien que está en Él no se va a perder.

Más adelante nos dice:

> *Mis ovejas oyen mi voz, y yo las conozco, y me siguen, y yo les doy vida eterna; y no perecerán jamás, ni nadie las arrebatará de mi mano. Juan 10:27,28* RVR1960

¡Qué promesa de seguridad! No pereceremos jamás, y nadie nos puede arrebatar de su mano.

Al decir «nadie», esto significa nadie. Ninguna persona, o Satanás, ni aún nosotros mismos... nada ni nadie puede separarnos del amor de Dios.

> *Por lo cual estoy seguro de que ni la muerte, ni la vida, ni ángeles, ni principados, ni potestades, ni lo presente, ni lo por venir, ni lo alto, ni lo profundo, ni ninguna otra cosa creada nos podrá separar del amor de Dios, que es en Cristo Jesús Señor nuestro. Romanos 8:38,39* RVR1960

La salvación es segura, y aún más, eso es un trato sellado.

*En él también vosotros, habiendo oído la palabra de verdad, el evangelio de vuestra salvación, y habiendo creído en él, fuisteis sellados con el Espíritu Santo de la promesa, que es las arras de nuestra herencia hasta la redención de la posesión adquirida, para alabanza de su gloria. Efesios 1:13-14* RVR1960

Amado lector. Nuestra salvación está segura.

Ese es el mensaje del Nuevo Pacto. Estamos seguros. Nuestros nombres están escritos en el libro de la vida del Cordero (Apocalipsis 21:27).

Dicho sea de paso, esos nombres ya estaban inscritos en el libro de la vida «desde la fundación del mundo» (Apocalipsis 17:8), lo que nos confirma el plan de salvación de Dios de principio a fin.

*Porque a los que antes conoció, también los predestinó para que fuesen hechos conformes a la imagen de su Hijo, para que él sea el primogénito entre muchos hermanos. Y a los que predestinó, a éstos también llamó; y a los que llamó, a éstos también justificó; y a los que justificó, a éstos también glorificó. Romanos 8:29,30* RVR1960

Puedes tener la seguridad de que una vez que estás en Cristo, eres de Él por la eternidad.

Dios te guardará y te preservará hasta el final.

**2. Aquellos que perseveran hasta el final es porque son verdaderos creyentes**

Entonces viene la pregunta lógica que muchos hacen.

Hermano Pérez, si eso que usted dice es verdad, entonces ¿por qué veo a personas que vienen a la iglesia por un tiempo y luego se «alejan» de la fe?

De la misma manera que la Biblia enseña que Dios por Su poder guardará a aquellos que son de Él hasta el final, también enseña que sólo aquellos que perseveran hasta el final pueden decir que son de Él —verdaderamente.

En otras palabras, la perseverancia en sí es una evidencia de que alguien es verdaderamente salvo.

Veamos este texto que Pablo escribe a los Colosenses.

*Y a vosotros también, que erais en otro tiempo extraños y enemigos en vuestra mente, haciendo malas obras, ahora os ha reconciliado en su cuerpo de carne, por medio de la muerte, para presentaros santos y sin mancha e irreprensibles delante de él; si en verdad permanecéis fundados y firmes en la fe, y sin moveros de la esperanza del evangelio que habéis oído, el cual se predica en toda la creación que está debajo del cielo; del cual yo Pablo fui hecho ministro. Colosenses 1:21—23* RVR1960

Dice que Jesucristo os ha reconciliado «para» presentaros santos y sin mancha e irreprensibles si «en verdad permanecéis fundados».

En otras palabras, «permanecer fundados» es evidencia de que hemos sido reconciliados. Esta es —de hecho— una de las más claras señales de que realmente estamos en Él.

**¿Y qué de los que están por un tiempo y luego se van?**

Dos cosas.

Primero. Hay personas que han estado dentro de congregaciones por tiempo sin haber sido salvos.

*Salieron de nosotros, pero no eran de nosotros; porque si hubiesen sido de nosotros, habrían permanecido con nosotros; pero salieron para que se manifestase que no todos son de nosotros. 1 Juan 2:19* RVR1960

Recuerda la parábola del sembrador, especialmente el que fue sembrado en pedregales.

*Y el que fue sembrado en pedregales, éste es el que oye la palabra, y al momento la recibe con gozo; pero no tiene raíz en sí, sino que es de corta duración, pues al venir la aflicción o la persecución por causa de la palabra, luego tropieza. Mateo 13:20,21* RVR1960

De hecho, hay personas que profetizan y echan fuera demonios y no son salvos.

*No todo el que me dice: Señor, Señor, entrará en el reino de los cielos, sino el que hace la voluntad de mi Padre que está en los cielos. Muchos me dirán en aquel día: Señor, Señor, ¿no profetizamos en tu nombre, y en tu nombre echamos fuera demonios, y en tu nombre hicimos muchos milagros? Y entonces les declararé: Nunca os conocí; apartaos de mí, hacedores de maldad. Mateo 7:21—23* RVR1960

Segundo. No podemos decir que una persona que se va de una congregación o regresa «al mundo» es porque definitivamente perdió la salvación, o que nunca fue salva.

Algunos, como el hijo pródigo, dejan la casa del Padre por un tiempo y luego regresan. Estaban en desobediencia y esa desobediencia les afecta —al punto de pasar hambre y desear poder comer las algarrobas de los cerdos (Lucas 15:16)— sin embargo, nunca dejaron de ser hijos. En cuanto vuelvan en sí, el Padre les estará esperando y les recibirá con gozo.

Nuestro Padre celestial «es paciente para con nosotros, no queriendo que ninguno perezca, sino que todos procedan al arrepentimiento» (2 Pedro 3:9).

Y nosotros también estamos llamados a ser pacientes con aquellos que son débiles en lugar de estar juzgandolos.

*También os rogamos, hermanos, que amonestéis a los ociosos, que alentéis a los de poco ánimo, que sostengáis a los débiles, que seáis pacientes para con todos. 1 Tesalonicenses 5:14* RVR1960

## ¿Qué aprendí en este capítulo?

## Citas bíblicas claves

## Para recordar

## Cuestionario

Llene los espacios en blanco.

Allí está la promesa de Dios de que lo que Él comienza en nuestras almas, Él lo _______________.

Dios no es solamente el alfa de nuestra _____________, también es el omega.

La perseverancia no significa que todo aquél que dice ser cristiano y se congrega en una iglesia, automáticamente tendrá la ________________ de su salvación.

Verdaderos creyentes _________________ hasta el final.

Aquellos que perseveran hasta el final es porque son _____________ creyentes.

Jesucristo os ha reconciliado «para» ______________ santos y sin mancha e irreprensibles si «en verdad permanecéis fundados».

Estamos llamados a ser ______________ con aquellos que son débiles en lugar de estar juzgandolos.

# 12

# LA MUERTE

Nuestro último gran enemigo, según la Biblia, es la muerte misma.

> *Y el postrer enemigo que será destruido es la muerte. 1 Corintios 15:26* RVR1960

La muerte no es normal. He oído a cristianos decir que la muerte es algo muy natural, tomando de la literatura secular y aún de la poesía.

Alguien dijo «desde que nacimos, ya comenzamos a morir»[31].

Por el hecho de que la muerte ocurre a todos, y todos estamos expuestos a sus efectos —todo alrededor nuestro—, tenemos la tendencia a decir que es algo muy natural. Pero no es así. No hay nada de natural respecto a la muerte.

La muerte es horrible.

La muerte entró a la humanidad por causa del pecado.

> *Por tanto, como el pecado entró en el mundo por un hombre, y por el pecado la muerte, así la muerte pasó a todos los hombres, por cuanto todos pecaron. Romanos 5:12* RVR1960

Esa es la visión clara que la Biblia presenta en cuanto a la muerte.

Morir, no significa «fallecer o dejar de existir». No es navegar felizmente hacia el atardecer.

Los textos sagrados nos muestran que la muerte es una maldición.

*Con el sudor de tu rostro comerás el pan hasta que vuelvas a la tierra, porque de ella fuiste tomado; pues polvo eres, y al polvo volverás. Génesis 3:19* RVR1960

La paga del pecado es la muerte.

*Porque la paga del pecado es muerte, mas la dádiva de Dios es vida eterna en Cristo Jesús Señor nuestro. Romanos 6:23* RVR1960

La muerte no es natural. No es pacífica. Es trágica y aterradora.

No hay nada romántico acerca de la muerte.

La muerte es tan horrible que el mismo Jesús —el que triunfaría sobre ella— se estremeció, se conmovió y lloró ante la tumba de Lázaro.

*Jesús entonces, al verla llorando, y a los judíos que la acompañaban, también llorando, se estremeció en espíritu y se conmovió, y dijo: ¿Dónde le pusisteis? Le dijeron: Señor, ven y ve. Jesús lloró. Dijeron entonces los judíos: Mirad cómo le amaba. Juan 11:33—36* RVR1960

Lloramos cuando alguien amado parte con el Señor.

No lloramos como los que no tienen esperanza, porque para ellos, la muerte significa el fin de todo. Para ellos es angustia y desesperación.

Los que tenemos nuestra confianza en Cristo, lloramos, pues la separación trae tristeza, pero dentro de nuestro llanto, hay esperanza y paz.

*Tampoco queremos, hermanos, que ignoréis acerca de los que duermen, para que no os entristezcáis como los otros que no tienen esperanza. 1 Tesalonicenses 4:13* RVR1960

Y nuestra esperanza consiste en que Cristo ha eliminado el aguijón de la muerte.

*Y cuando esto corruptible se haya vestido de incorrupción, y esto mortal se haya vestido de inmortalidad, entonces se cumplirá la palabra que está escrita: Sorbida es la muerte en victoria. ¿Dónde está, oh muerte, tu aguijón? ¿Dónde, oh sepulcro, tu victoria? ya que el aguijón de la muerte es el pecado, y el poder del pecado, la ley. Mas gracias sean dadas a Dios, que nos da la victoria por medio de nuestro Señor Jesucristo. 1 Corintios 15:54—57* RVR1960

El aguijón de la muerte siendo el pecado, y el poder del pecado siendo la ley; Cristo en Su muerte venció al pecado y rindió a la ley nula, quitándole el poder al pecado.

Otra vez. Voy a decirlo pero poniendo atención a este detalle…

La ley es lo que le daba poder (combustible) al pecado (1 Corintios 15:56; Romanos 4:15;5:13;7:8), y el pecado a la muerte (1 Corintios 15:56).

Cristo al morir en la cruz cumplió la ley y la llevó a su fin.

*…porque el fin de la ley es Cristo… Romanos 10:4* RVR1960

Así, al haber llevado la ley a su fin, el pecado quedó sin poder, y de la misma manera la muerte, la cual sin el pecado ha perdido todo su poder.

Legalmente, la muerte ha sido derrotada. De hecho, el que tenía (en tiempo pasado) el imperio de la muerte ha sido destruido. Veamos este texto.

*Así que, por cuanto los hijos participaron de carne y sangre, él también participó de lo mismo, para destruir por medio de la muerte al que tenía el imperio de la muerte, esto es, al diablo… Hebreos 2:14* RVR1960

Sin embargo, aún cuando Cristo le ha quitado el aguijón a la muerte, las personas se siguen muriendo, ¿por qué?

El poder de la muerte de separarnos eternamente de Dios ha sido quitado. Por causa del perfecto sacrificio de Cristo en la cruz, sabemos que cuando morimos, instantáneamente estamos presentes con el Señor.

*…pero confiamos, y más quisiéramos estar ausentes del cuerpo, y presentes al Señor… 2 Corintios 5:8* RVR1960

Es decir que espiritualmente no morimos. Sin embargo, la muerte física seguirá ocurriendo hasta que escatológicamente llegue su hora. Esto sucederá en el futuro, por lo que la muerte física continúa siendo el último gran enemigo.

*Porque preciso es que él reine hasta que haya puesto a todos sus enemigos debajo de sus pies. Y el postrer enemigo que será destruido es la muerte. 1 Corintios 15:25,26* RVR1960

Entonces, el cristiano puede enfrentar la muerte no con miedo, sino con la esperanza de que la muerte no tendrá la última palabra. Por eso es que Pablo puede decir: «Porque para mí el vivir es Cristo, y el morir es ganancia» (Filipenses 1:21).

**¿Qué sucede cuando morimos?**

En el momento en que abandonamos este cuerpo, estamos presentes con el Señor, donde Él está en este momento «ausentes del cuerpo, y presentes al Señor» (2 Corintios 5:8).

No vamos a estar en un lugar flotando hasta que suceda la resurrección como algunos enseñan.

Cuando decimos ir al cielo, lo que estamos diciendo es que vamos a donde Cristo está en este momento.

Préstame mucha atención en esto. La clave es saber «donde está Cristo», porque donde Él esté ahí estaremos nosotros con Él.

*Y si me fuere y os preparare lugar, vendré otra vez, y os tomaré a mí mismo, para que donde yo estoy, vosotros también estéis. Juan 14:3* RVR1960

*Padre, aquellos que me has dado, quiero que donde yo estoy, también ellos estén conmigo, para que vean mi gloria que me has dado; porque me has amado desde antes de la fundación del mundo. Juan 17:24* RVR1960

Las Escrituras nos enseñan que el cielo descenderá. Cuando esto suceda nosotros descenderemos con Cristo. Siempre estaremos con Cristo, donde quiera que Él esté.

*Y yo Juan vi la santa ciudad, la nueva Jerusalén, descender del cielo, de Dios, dispuesta como una esposa ataviada para su marido. Apocalipsis 21:2* RVR1960

Existen dos escuelas incorrectas en cuanto a esto. Una dice que estaremos dormidos hasta el día de la resurrección, otra dice que nuestro espíritu (sin cuerpo) estará flotando hasta el día de la resurrección que tendrá de nuevo cuerpo.

Como dije, ambas enseñanzas son incorrectas.

Siempre tendremos cuerpos.

Cuando salgamos de este «cuerpo de la humillación» (Filipenses 3:21), también conocido como «morada terrestre», o «tabernáculo» recibiremos un «cuerpo celestial».

Veamos los textos.

> *Porque sabemos que si nuestra morada terrestre, este tabernáculo, se deshiciere, tenemos de Dios un edificio, una casa no hecha de manos, eterna, en los cielos. Y por esto también gemimos, deseando ser revestidos de aquella nuestra habitación celestial 2 Corintios 5:1,2* RVR1960

> *Porque asimismo los que estamos en este tabernáculo gemimos con angustia; porque no quisiéramos ser desnudados, sino revestidos, para que lo mortal sea absorbido por la vida. 2 Corintios 5:4* RVR1960

La frase «habitación celestial» que es opuesto a «morada terrestre» nos indica que cuando estemos en el cielo nuestro espíritu estará vestido (tendrá cuerpo), aunque será un cuerpo celestial, tendrá forma. Pablo hace la diferencia refiriéndose al cuerpo resucitado cuando dice, «hay cuerpos celestiales, y cuerpos terrenales» (1 Corintios 15:40). Claro que está hablando en ese pasaje del cuerpo resucitado, de lo cual hablaré más adelante, sin embargo, el principio es el mismo. En el cielo tendremos forma. No seremos espíritus flotando.

Tendremos cuerpo celestial.

Entonces, siempre tendremos cuerpo. Note como dice Pablo «no quisiéramos ser desnudados, sino revestidos». «Desnudados» sería si nuestro espíritu quedara sin cuerpo (flotando, como algunos enseñan erróneamente), pero no seremos desnudados, sino revestidos, lo que significa que al salir de este cuerpo terrenal (desvestidos) entraremos en nuestro cuerpo espiritual (revestidos), y ese nuevo cuerpo celestial tiene forma, igual que el cuerpo que tenemos ahora, pero con la diferencia que en ese cuerpo no habrá dolor, decadencia o corrupción —será un cuerpo perfecto.

Entonces, cuando morimos, somos hechos parte de la verdadera Sión, junto a «muchos millares de ángeles, a la congregación de los primogénitos que están inscritos en los cielos» (Hebreos 12:22,23).

**¿Estado intermedio?**

Algunos teólogos llaman «estado intermedio» a lo que sucede entre el tiempo que morimos y el día de la resurrección. ¿Cómo seremos? ¿Dónde estaremos?

No me gusta usar la terminología de «estado intermedio» porque creo que se presta a confusión. La falsa doctrina del purgatorio es tratada como un «estado intermedio», también la enseñanza de que «dormimos hasta el día de la resurrección» (como lo enseñan algunas sectas), por lo que no me gusta usar esa frase.

Cuando eres separado de esta morada terrestre, inmediatamente entras en tu morada celestial.

Dos cosas al respecto.

1. ¿Recuerdas al ladrón en la cruz? Jesús le dijo: «De cierto te digo que hoy estarás conmigo en el paraíso» (Lucas 23:43).

¿Qué significa hoy?

Jesús le estaba diciendo «hoy vamos a estar en el mismo lugar —juntos».

2. Algunos piensan que cuando Jesús dijo: «En la casa de mi Padre muchas moradas hay... voy, pues, a preparar lugar para vosotros» (Juan 14:2) estaba hablando de casas celestiales. Que tendrás una casa con tres recámaras y dos baños (como oí a alguien decir una vez). No. Moradas celestiales son cuerpos celestiales (2 Corintios 5:1,2).

**La resurreccion**

Pablo nos da un orden en cuanto a la resurrección.

> *Porque el Señor mismo con voz de mando, con voz de arcángel, y con trompeta de Dios, descenderá del cielo; y los muertos en Cristo resucitarán primero. Luego nosotros los que vivimos, los que hayamos quedado, seremos arrebatados juntamente con ellos en las nubes para recibir al Señor en el aire, y así estaremos siempre con el Señor. 1 Tesalonicenses 4:16,17* RVR1960

En ese orden nos damos cuenta que los cuerpos de los que ya habían muerto, resucitarán primero, luego, los que estamos vivos en el momento de la resurrección, seremos resucitados.

**¿Qué cuerpo tendremos en la resurrección?**

Algunos piensan que en la resurrección, tomaremos de nuevo un cuerpo como el que ahora tenemos, pero la Biblia claramente nos dice que ese cuerpo será un cuerpo espiritual.

> *Y hay cuerpos celestiales, y cuerpos terrenales; pero una es la gloria de los celestiales, y otra la de los terrenales. 1 Corintios 15:40* RVR1960

> *Se siembra cuerpo animal, resucitará cuerpo espiritual. Hay cuerpo animal, y hay cuerpo espiritual. 1 Corintios 15:44* RVR1960

¿Qué sucederá con los que ya habían muerto y ya tenían un cuerpo celestial en la presencia de Dios en los cielos?

Los que ya estaban con el Señor en Su presencia y ya habían tomado un cuerpo celestial, tomarán sus cuerpos espirituales/terrenales resucitados en el día de la resurrección.

¿Por qué sería esto necesario, si ya teníamos un cuerpo celestial perfecto?

Porque nuestro futuro es aquí en la tierra. Pero debemos notar lo siguiente:

- Esta tierra será hecha de nuevo (2 Pedro 3:13) —algunos teólogos usan la frase «resucitada». Dios hará nuevos cielos y nueva tierra, (como un segundo Edén). Su santa ciudad «descenderá del cielo»

(Apocalipsis 21:2). En otras palabras, el cielo vendrá a la tierra, y aquí, Dios hará Su morada con los hombres (Apocalipsis 21:3; 22:3).

- Nuestros cuerpos resucitados estarán listos para vivir en ese segundo Edén. En la Nueva Jerusalén que también tiene un jardín en ella como el Edén (Apocalipsis 22:1,2). Como esa habitación será terrenal/espiritual, nuestros cuerpos resucitados terrenales/espirituales estarán listos para vivir en ella. Y «ya no habrá muerte, ni habrá más llanto, ni clamor, ni dolor; porque las primeras cosas pasaron» (Apocalipsis 21:4).

**¿Qué sucede con los que están vivos en ese momento?**

Los que estén vivos en ese momento, serán transformados en un instante (1 Corintios 15:52). En otras palabras, tomarán ese cuerpo perfecto y desde entonces estarán con el Señor, igual que sucedió con los que murieron en Cristo.

Serán arrebatados (1 Tesalonicenses 4:17) para recibir al Señor en las nubes (porque el Señor viene descendiendo). Es Su Segunda Venida. Y a partir de ahí, estarán juntos con todos los que descienden con el Señor. Para un futuro juntos en la Nueva Jerusalén que ha descendido del cielo.

Hablo más sobre este tema en el volumen Escatología: La doctrina del futuro, donde me extiendo en todo lo que tiene que ver con la Nueva Jerusalén y la restauración de todas las cosas, «cielos nuevos y tierra nueva».

**El purgatorio**

La doctrina del purgatorio fue proclamada como un dogma de la fe dentro de la Iglesia Católica por el concilio de Florencia. Esta doctrina dice que «las almas que llegaron a la muerte en estado de gracia, pero no totalmente purificadas para entrar al Cielo, pasan a un estado de purificación que conocemos con el nombre de Purgatorio»[32].

Se le atribuye al papa Gregorio Magno, que (como ellos dicen) ocupó el Trono de Pedro el Pescador desde el 590 al 604 de nuestra era[33].

Entonces, de acuerdo al catolicismo, el purgatorio es un lugar de purificación y preparación y la duración e intensidad de esos sufrimientos está determinada por los pecados cometidos.

De acuerdo a la iglesia de Roma, la estancia de alguien en el purgatorio puede reducirse con las oraciones de los que viven, las buenas obras de los fieles o la misa. De acuerdo a ellos, el Papa tiene jurisdicción sobre el purgatorio; cualquier indulgencia (dinero) entregada a la iglesia en nombre de los muertos puede aliviar el sufrimiento o eliminarlos todos juntos.

Ya se dio usted cuenta de las ganancias deshonestas detrás de esta falsa doctrina.

Este abuso de parte de la iglesia católica es lo que dio origen a las 95 tesis de Lutero y estimuló la Reforma.

Es interesante que por lo regular, las doctrinas falsas están basadas en la mala interpretación o torcedura de algunos textos, sin embargo, esta doctrina del purgatorio, no llega ni aún a eso.

No hay textos dentro del canon para apoyar estas ideas. Lo mejor que la iglesia de Roma puede hacer es señalar 2 Macabeos 12:42—45, que en sí mismo no es un libro canónico.

Aún así, ese texto no es claro y no es lo suficiente para apoyar dicha doctrina. El texto habla de Judas Macabeo y dice que «recogió unas dos mil monedas de plata y las envió a Jerusalén, para que se ofreciera un sacrificio por el pecado» y al final del pasaje habla de «ofrecer ese sacrificio por los muertos, para que Dios les perdonara su pecado».

No hay manera de aplicar ese texto a la idea de un purgatorio. Sin embargo, como toda falsa doctrina, el falso maestro obligará a que el texto diga lo que él quiere.

Entonces, esta doctrina tiene un doble problema. Primero, el texto usado no está dentro del canon bíblico, y segundo, aún si hubiera estado dentro del canon, el texto no dice lo que ellos afirman.

No es bíblico orar por los muertos, y mucho menos comprar indulgencias o dedicar esfuerzos para asegurar una pronta liberación de los difuntos de los castigos del purgatorio.

La llamada «misa dedicada a santos difuntos» es toda una falsa financiera.

Amado lector. Cuando el ser humano muere, inmediatamente va al lugar de destino. Si está en Cristo, inmediatamente irá a la presencia de Dios.

> *Entonces Jesús le dijo: De cierto te digo que hoy estarás conmigo en el paraíso. Lucas 23:43* RVR1960

El que no cree en Cristo, ya ha sido condenado.

> *...el que no cree, ya ha sido condenado, porque no ha creído en el nombre del unigénito Hijo de Dios. Juan 3:18* RVR1960

Habrá un juicio, donde Dios definitivamente echará al lago de fuego a todo aquel cuyo nombre no estaba inscrito en el libro de la vida.

> *Y el que no se halló inscrito en el libro de la vida fue lanzado al lago de fuego. Apocalipsis 20:15* RVR1960

Es decir, que el que muere sin Cristo ya ha sido condenado y será presentado en el día del juicio.

No existe en la Biblia ningún lugar llamado purgatorio que pueda interrumpir ese proceso. La ida al juicio es directa.

> *Y de la manera que está establecido para los hombres que mueran una sola vez, y después de esto el juicio... Hebreos 9:27* RVR1960

> *...cuando se manifieste el Señor Jesús desde el cielo con los ángeles de su poder, en llama de fuego, para dar retribución a los que no conocieron a Dios, ni obedecen al evangelio de nuestro Señor Jesucristo; los cuales sufrirán pena de eterna perdición, excluidos de la presencia del Señor y de la gloria de su poder... 2 Tesalonicenses 1:7—9* RVR1960

**La muerte segunda**

La frase «muerte segunda» aparece cuatro veces en el Apocalipsis.

Hay varias cosas que nos dicen los textos.

El que venciere, no sufrirá daño de la muerte segunda.

*El que tiene oído, oiga lo que el Espíritu dice a las iglesias. El que venciere, no sufrirá daño de la segunda muerte. Apocalipsis 2:11* RVR1960

Aquellos que son parte de la primera resurrección, son bienaventurados, reinarán con Cristo mil años y la muerte segunda no tiene potestad sobre ellos.

*Bienaventurado y santo el que tiene parte en la primera resurrección; la segunda muerte no tiene potestad sobre éstos, sino que serán sacerdotes de Dios y de Cristo, y reinarán con él mil años. Apocalipsis 20:6* RVR1960

En el juicio final, el mismo infierno y la muerte serán lanzados al lago de fuego que es sinónimo de la muerte segunda.

*Y la muerte y el Hades fueron lanzados al lago de fuego. Esta es la muerte segunda. Apocalipsis 20:14* RVR1960

Los perdidos serán echados al lago de fuego, que es la muerte segunda.

*Pero los cobardes e incrédulos, los abominables y homicidas, los fornicarios y hechiceros, los idólatras y todos los mentirosos tendrán su parte en el lago que arde con fuego y azufre, que es la muerte segunda. Apocalipsis 21:8* RVR1960

Entonces podemos concluir que la muerte segunda es la separación eterna de Dios para todos aquellos que no están en Cristo. Dios Juez, después de haber realizado su juicio final, los lanzará en un lugar de castigo eterno llamado el lago de fuego.

Es importante notar que cuando el texto dice «el que venciere», no está enviando al creyente a una lucha donde tendrá que pelear por sus fuerzas hasta llegar al final. Ya hemos hablado de la doctrina de la perseverancia.

Dios preservará a aquellos que están en Cristo hasta el final.

*...estando persuadido de esto, que el que comenzó en vosotros la buena obra, la perfeccionará hasta el día de Jesucristo... Filipenses 1:6* RVR1960

## ¿Qué aprendí en este capítulo?

## Citas bíblicas claves

## Para recordar

## Cuestionario

Llene los espacios en blanco.

Nuestro _____________ gran enemigo, según la Biblia, es la muerte misma.

La muerte no es _____________.

La muerte entró a la humanidad por causa del _____________.

Cuando el ser humano muere, _______________ va al lugar de destino. Si está en Cristo, inmediatamente irá a la presencia de Dios.

No existe en la Biblia ningún lugar llamado _______________.

La muerte _______________ es la separación eterna de Dios para todos aquellos que no están en Cristo.

Dios _______________ a aquellos que están en Cristo hasta el final.

# 13

# LA GLORIFICACIÓN

En todo lo que tiene que ver con la redención, la glorificación es «el paso final».

Esta sucederá cuando Cristo regrese. Esta es la transformación final.

> *He aquí, os digo un misterio: No todos dormiremos; pero todos seremos transformados, en un momento, en un abrir y cerrar de ojos, a la final trompeta; porque se tocará la trompeta, y los muertos serán resucitados incorruptibles, y nosotros seremos transformados. 1 Corintios 15:51,52* RVR1960

Primero, Pablo dice que esto es un misterio. Es por eso que a veces nos cuesta trabajo entender lo relacionado a las resurrecciones, los tiempos, y en cuanto al cuerpo.

¿Será un cuerpo físico? ¿No había dicho usted que en el momento que morimos, y dejamos nuestro cuerpo terrestre, entramos en nuestro cuerpo celestial?

Sí, cuando morimos, claro que entramos en nuestra morada celestial, un cuerpo perfecto, pero celestial, no terrenal.

En la resurrección, el Señor levantará de la tierra los cuerpos de los que murieron en Él, y a la vez transformará los cuerpos de los que están vivos en ese momento.

Estos cuerpos glorificados serán la forma en que estaremos por la eternidad ¿dónde?

¿Recuerda que le dije que el cielo descenderá a la tierra?

Así es, la Nueva Jerusalén descenderá del cielo y Dios hará morada con los suyos para siempre. ¿Dónde? En la Nueva Jerusalén que para entonces ya habrá descendido.

En el tomo de Escatología: La doctrina del futuro, entro en detalles sobre todo lo relacionado a esto, pero por el momento quiero que pensemos en lo siguiente: ¿Recuerda el relato de la creación del hombre, cuando Dios lo puso en un jardín? Ahora, lea los detalles y características de la Nueva Jerusalén, y verá como el final es una restauración de lo que fue el principio. Como dije, hablaré más de esto en escatología.

Por ahora, quiero nos concentremos en entender lo que significa «glorificación».

Dios glorificará nuestros cuerpos mortales.

> *Y si el Espíritu de aquel que levantó de los muertos a Jesús mora en vosotros, el que levantó de los muertos a Cristo Jesús vivificará también vuestros cuerpos mortales por su Espíritu que mora en vosotros. Romanos 8:11* RVR1960

Nuestros cuerpos serán como el de Cristo.

> *...el cual transformará el cuerpo de la humillación nuestra, para que sea semejante al cuerpo de la gloria suya... Filipenses 3:21* RVR1960

Ya no habrá muerte, ni habrá más llanto, ni clamor, ni dolor; porque las primeras cosas pasaron.

> *Y oí una gran voz del cielo que decía: He aquí el tabernáculo de Dios con los hombres, y él morará con ellos; y ellos serán su pueblo, y Dios mismo estará con ellos como su Dios. Enjugará Dios toda lágrima de los ojos de ellos; y ya no habrá muerte, ni habrá más llanto, ni clamor, ni dolor; porque las primeras cosas pasaron. Y el que estaba sentado en el trono dijo: He aquí, yo hago nuevas todas las cosas. Y me dijo: Escribe; porque estas palabras son fieles y verdaderas. Apocalipsis 21:3—5* RVR1960

Es importante señalar que la resurrección y la glorificación de nuestros cuerpos en ese estado futuro tiene que ver con el hecho de que Dios vendrá a morar con nosotros: «He aquí el tabernáculo de Dios con los hombres, y él morará con ellos; y ellos serán su pueblo»(v.3).

Esto va ligado a lo que dije anteriormente sobre la Nueva Jerusalén, nuestra ciudad eterna futura.

Las Escrituras dicen que seremos semejantes a Cristo.

Amados, ahora somos hijos de Dios, y aún no se ha manifestado lo que hemos de ser; pero sabemos que cuando él se manifieste, seremos semejantes a él, porque le veremos tal como él es. 1 Juan 3:2 RVR1960

Nuestros cuerpos recobraran el diseño original. De la manera en que Dios lo quiso cuando creó a Adan y Eva.

La glorificación es la redención del cuerpo.

> *...y no sólo ella, sino que también nosotros mismos, que tenemos las primicias del Espíritu, nosotros también gemimos dentro de nosotros mismos, esperando la adopción, la redención de nuestro cuerpo. Romanos 8:23* RVR1960

Anhelamos ese día.

## ¿Qué aprendí en este capítulo?

## Citas bíblicas claves

## Para recordar

## Cuestionario

Llene los espacios en blanco.

En todo lo que tiene que ver con la redención, la ______________ es «el paso final».

En la resurrección, el Señor levantará de la tierra los cuerpos de los que murieron en Él, y a la vez _________________ los cuerpos de los que están vivos en ese momento.

Las Escrituras dicen que seremos ______________ a Cristo.

La glorificación es la _________________ del cuerpo.

## Notas

Por ser publicado primero en Estados Unidos, las fechas de captura debajo se escriben en el orden: Mes-Día-Año. Las citas tienen formato uniforme, sólo cuando es posible, pues hemos respetado la manera en que algunas fuentes prefieren ser citadas, y esto a veces difiere de los formatos convencionales.

## Soteriología: La doctrina de la Redención


1. Soteriology. Merriam-Webster https://www.merriam-webster.com/dictionary/soteriology (Capturado Marzo 13, 2021).

2. Soteriology. Encyclopædia Britannica. https://www.britannica.com/topic/soteriology (Capturado Marzo 13, 2021).

3. Soteriología. Del gr. σωτηρία sōtēría 'salvación' y -logía. Rel. En la religión cristiana, doctrina referente a la salvación. Real Academia Española. https://dle.rae.es/soteriolog%C3%ADa (Capturado Marzo 13, 2021).

4. "Soteriology." Merriam-Webster.com Dictionary, Merriam-Webster, https://www.merriam-webster.com/dictionary/soteriology. (Capturado Marzo 13, 2021).

5. Strawbridge, Gregg (1993). «The Five Solas of the Reformation. A Brief Statement» (en inglés). Reformation Celebration en Audubon Drive Bible Church, en Laurel: FiveSolas.com. https://www.fivesolas.com/5solas.htm (Capturado Marzo 13, 2021).

6. Spurgeon, Charles Haddon. (Domingo, Mayo 10, 1857) La Salvación es de Jehová. NO. 131. El Púlpito de la Capilla New Park Street. Un sermón predicado en Music Hall, Royal Surrey Gardens, Londres. http://www.spurgeon.com.mx/sermon131.html (Capturado Marzo 13, 2021).

7. Bingham, Nathan W. (Octubre 6, 2019) Justification by Faith Alone: Martin Luther and Romans 1:17 (en inglés) Category: Ligonier Resources. (Capturado Marzo 13, 2021).

8. Franklin. (April 19, 2016) Charles Spurgeon on People Thinking Lightly of Sin. https://fundamentalbaptistchristian.blogspot.com/2016/04/charles-spurgeon-on-people-thinking.html (Capturado Marzo 13, 2021).

9. Eklektos: ἐκλεκτός Escogido por Dios, o obtener salvación por medio de Cristo (ἐκλέγω). Los cristianos son llamados ἐκλεκτοί τοῦ Θεοῦ, los escogidos o elegidos de Dios. STRONGS NT 1588: ἐκλεκτός

https://www.blueletterbible.org/lang/lexicon/lexicon.cfm?t=kjv&strongs=g1588 (Capturado Marzo 14, 2021).

10. Eklegó: seleccionar o elegir del griego ἐκλέγομαι. eklégomai – seleccionar (escoger) por elección deliberada (preferencia de corazón). Strong's Concordance 1586 https://biblehub.com/greek/1586.htm (Capturado Marzo 14, 2021).

11. Eklogé: una selección divina. Del griego ἐκλογή. Ocurre siete veces en el Nuevo Testamento Griego. STRONGS NT 1589: ἐκλογή https://biblehub.com/greek/1589.htm (Capturado Marzo 14, 2021).

12. Supralapsarios. Posición teológica calvinista. Partidarios de una interpretación estricta de la doctrina de la predestinación. Los supralapsarios insistían en que cuando Dios creó a los humanos, conocía que algunos se salvarían y otros no. Sus críticos señalan que esto podía indicar que Dios ordenó la caída de Adán y Eva, lo cual negaron enérgicamente los supralapsarios. El eminente teólogo calvinista Teodoro Beza (siglo XVI) se inclinaba hacia el supralapsarismo, pero esta posición tomó forma en el período escolástico del calvinismo. https://www.biblia.work/diccionarios/supralapsarios/ (Capturado Marzo 14, 2021).

13. Boda, Mark J. Return to Me: A Biblical Theology of Repentance (Nuevos Estudios sobre Teología Bíblica).

14. Packer, J.I. (1961/2008) Evangelism and the Sovereignty of God (p. 81) Downers Grove, IL. InterVarsity.

15. Murray, John. (1955) Redemption Accomplished and Applied (pp. 111-112) Grand Rapids. Eerdmans.

16. Bonar, Horatius. (1874/1993) The Everlasting Righteousness; or, How Shall a Man be Just with God? (pp. 111-113) Carlisle, Pa. Banner of Truth.

17. Murray, John. (1955) Redemption Accomplished and Applied (p. 161) Grand Rapids. Eerdmans.

18. Justification. New Advent Catholic Encyclopedia. https://www.newadvent.org/cathen/08573a.htm (Capturado Marzo 17, 2021).

19. Leighton, Matthew. (Julio 26, 2018) La justificación: ¿qué es y qué hace? Coalición por el Evangelio. https://www.coalicionporelevangelio.org/articulo/la-justificacion-que-es-y-que-hace/ (Capturado Marzo 17, 2021).

20. Ídem.

21. Catecismo de la Iglesia Católica. Tercera parte. La vida en Cristo. Primera sección. La vocación del hombre: La vida en el Espíritu. # 1807 http://www.vatican.va/archive/catechism_sp/p3s1c1a7_sp.html (Capturado Marzo 17, 2021).

22. Un día, mientras Lutero meditaba en las Escrituras en su oficina en Wittenberg, el leer Romanos 1:17 –"Mas el justo por la fe vivirá"– inició un cambio en su interior. Esa noche Lutero no pudo dejar de pensar en ese pasaje. El Espíritu Santo obró en él de una manera tal que no podía contenerse ante tal verdad. Lutero entendió que lo que aprendió en el Catolicismo, y que por tantos años había enseñado, era contrario a la Palabra. Y es que Dios establece que la salvación es algo que viene solo por Su gracia, y por ende los hombres no podemos ganarla. Esa gracia de Dios solo puede ser obtenida a través de la fe en Cristo Jesús.

Martín Lutero y la seguridad de la salvación. 11 Julio, 2014 por Ángel Cardoza. Coalición por el Evangelio. https://www.coalicionporelevangelio.org/articulo/martin-lutero-y-la-seguridad-de-la-salvacion/ (Capturado Marzo 17, 2021).

23. La obra de Martín Lutero, Disputatio pro declaratione virtutis indulgentiarum de 1517, a menudo conocida como Las 95 tesis, se considera el documento central de la Reforma protestante. Biblioteca Digital Mundial. https://www.wdl.org/es/item/7497/ (Capturado Marzo 17, 2021).

24. Este último párrafo me fue inspirado por el escrito de Donald Macleod, titulado: Adopción: Un nuevo padre y un nuevo corazón. 21 Abril, 2016 Coalición por el Evangelio. https://www.coalicionporelevangelio.org/articulo/adopcion-un-nuevo-padre-y-un-nuevo-corazon/ (Capturado Marzo 17, 2021).

25. Edwards, Jonathan. (1992) «Christian Liberty: A Sermon on James 1:2», en Sermons and Discourses 1720-1723, The Works of Jonathan Edwards, Vol. 10, Ed. Wilson H. Kimnach (p. 630) New Haven. Yale.

26. Arminianismo. El arminianismo es una doctrina teológica cristiana fundada por Jacobo Arminio en la Holanda de comienzos del siglo XVII, a partir de la impugnación del dogma calvinista de la doble predestinación.

Sustenta la salvación en la cooperación del hombre con la gracia divina a través de la fe. Frente al concepto calvinista de predestinación (o "elección") incondicional, el arminianismo enseña que la predestinación se ha basado en: (1) la presciencia de Dios, quien tiene el conocimiento previo de quién creerá y quién no creerá en Cristo; y (2) la voluntad del hombre, por asistencia divina, que es hecha libre para creer o rechazar a Cristo. Global Mennonite Encyclopedia Online. https://

gameo.org/index.php?title=Arminianism (Capturado Marzo 19, 2021).

27. El ascetismo es la doctrina filosófica o religiosa que busca, por lo general, purificar el espíritu por medio de la negación de los placeres materiales o abstinencia; al conjunto de procedimientos y conductas de doctrina moral que se basa en la oposición sistemática al cumplimiento de necesidades de diversa índole que dependerá, en mayor o menor medida, del grado y orientación del que se trate. https://es.wikipedia.org/wiki/Ascetismo (Capturado Marzo 19, 2021).

28. Grudem, Wayne. Teología Sistemática (p. 746).

29. What does the term "perseverance of the saints" mean, and does the bible teach it? Monergism 66. https://www.monergism.com/thethreshold/articles/onsite/qna/preseverance.html (Capturado Marzo 19, 2021).

30. Murray, John. Redemption Achievement and Applied (pp. 151-52).

31. Dicho por Janne Teller. Escritora y ensayista danesa de origen austro-alemán. "From the moment we are born, we begin to die." Del libro: Nothing.

32. Qué es la doctrina del purgatorio.

La doctrina del purgatorio fue proclamada como un dogma de la fe por el concilio de Florencia

Las almas que llegaron a la muerte en estado de gracia, pero no totalmente purificadas para entrar al Cielo, pasan a un estado de purificación que conocemos con el nombre de Purgatorio.

33. Serra, Alfredo. (Julio 8, 2018) ¿Quién inventó el Purgatorio? https://www.infobae.com/america/historia-america/2018/07/08/quien-invento-el-purgatorio-y-para-que-sirve/ (Capturado Marzo 20, 2021).

## Otros créditos (para toda la serie)

Aparte de las citas respectivas arriba, tuve la bendición de consultar varios libros y escritos. Algunos de estos me ayudaron a explicar definiciones y otros a ordenar los temas teológicos de manera comprensible al lector. A estos, quiero extender mis más sinceros agradecimientos y debido crédito*.


- Chafer, Lewis S. (Febrero 23, 2010) Teología Sistemática CLIE.
- Berkhof, Louis. Manual de doctrina reformada. Grand

Rapids, Michigan. Libros Desafío.

- MacArthur, John. Mayhue, Richard. (Junio 19, 2018) Teología sistemática: Un estudio profundo de la doctrina bíblica. Editorial Portavoz.
- Wiley, H. Orton. (2012) Teología Cristiana. Tomo 1. Casa Nazarena de Publicaciones. Título original: Christian Theology. (Vol. 1. Primera edición) Global Nazarene Publications.
- Pearlman, Myer. (April 1, 1992) Teología bíblica y sistemática. Vida.
- Dever, Mark. (2018) Clases esenciales: Teología Sistemática. Capitol Hill Baptist Church.
- Guzmán Martínez, Grecia. Gnosticismo: qué es esta doctrina religiosa y qué ideas sostiene. Este conjunto de sistemas de religión se basa en los intentos de pasar de la fe al conocimiento. https://psicologiaymente.com/cultura/gnosticismo (Capturado Junio 9, 2021).
- Rufat, Pastor Gilberto. (Abril 28, 2015) Teología bautista reformada 1689. Reformado 365. https://gilbertorufat.blogspot.com/2015/04/todas-las-cosas-que-pertenecen-la-vida.html (Capturado Junio 9, 2021).
- La condición del hombre (el pecado). Lección 1. Julio 22, 2020. Ministerio Hacedores. http://ministerioshacedores.org/2020/07/22/leccion-1-la-condicion-del-hombre-el-pecado/ (Capturado Junio 9, 2021).
- Rodriguez, Josue D. Doctrina de la Palabra - Parte 2. Faithlife Sermons. https://sermons.faithlife.com/sermons/365810-doctrina-de-la-palabra-parte-2 (Capturado Junio 9, 2021).
- ¿Qué es la revelación general? ¿Cuál es revelación especial? Compelling Truth. https://www.compellingtruth.org/Espanol/revelacion-especial-general.html (Capturado Junio 9, 2021).
- Driscoll, Mark. ¿Quién escribió la Biblia? Real Faith by Mark Driscoll. https://realfaith.com/what-christians-believe/wrote-bible/?translation=spanish (Capturado Mayo 28, 2021).
- El Español de América. Escritores.org https://www.escritores.org/recursos-para-escritores/recursos-2/articulos-de-interes/31880-el-espanol-de-america (Capturado Mayo 28, 2021).

- Teijero Páez, Dr. Sergio. (Marzo 2016) Inteligencia Espiritual: La Suprema de las Inteligencias. Caracas.

- Núñez, Miguel. (Enero 10, 2019) Los atributos comunicables de Dios. Coalición por el Evangelio. https://www.coalicionporelevangelio.org/articulo/los-atributos-comunicables-dios/ (Capturado Mayo 28, 2021).

- Gossack, Julie. (2002, 2012) El Carácter Y Atributos De Dios. https://docplayer.es/51942361-El-caracter-y-atributos-de-dios.html (Capturado Mayo 28, 2021).

- Deffinbaugh, Robert L. La Sabiduría de Dios. https://bible.org/seriespage/la-sabidur%C3%AD-de-dios (Capturado Mayo 28, 2021).

- Reyes, Wilfor Galindo. La Importancia de la Santidad de Dios. Los atributos de Dios. Faithlife Sermons. https://sermons.faithlife.com/sermons/207642-la-importancia-de-la-santidad-de-dios (Capturado Junio 9, 2021).

- Credo de Nicea. Archdiocese of Washington. https://adw.org/catholic-prayer/es-credo-de-nicea/ (Capturado Junio 9, 2021).

- Catecismo de Heidelberg. Reformed Church in America. https://www.rca.org/about/theology/creeds-and-confessions/the-heidelberg-catechism/catecismo-de-heidelberg/ (Capturado Junio 9, 2021).

- Clemente de Roma: Mártir, escritor y líder de la iglesia. Listen Notes. https://www.listennotes.com/podcasts/bite/58-clemente-de-roma-m%C3%A1rtir-paDjZS2VYrM/ (Capturado Junio 9, 2021).

- Enduring World Bible Commentary. Comentario Bíblico. Romanos 3. Justificados libremente por Su gracia. https://es.enduringword.com/comentario-biblico/romanos-3/ (Capturado Junio 9, 2021).

- Piper, John. (Septiembre 27, 1998) Las manifestaciones de Dios eliminan la excusa por haber dejado de adorar. Desiring God. https://www.desiringgod.org/messages/displays-of-god-remove-the-excuse-for-failed-worship (Capturado Junio 9, 2021).

- ¿Es Dios real? ¿Cómo puedo saber con seguridad que Dios es real? Got Questions? https://www.gotquestions.org/Espanol/Es-Dios-real.html (Capturado Junio 9, 2021).

- Warren, Rick. (Marzo 30, 2017) Conocemos la Verdad de Dios a través de la Conciencia. https://pastorrick.com/conocemos-la-verdad-de-dios-a-traves-de-la-conciencia/ (Capturado Junio 9, 2021).

- Keathley III, Th.M., J. Hampton. (Abril 18, 2005) Las Epístolas No Paulinas. https://bible.org/seriespage/las-ep%C3%ADstolas-no-paulinas (Capturado Junio 9, 2021).
- Buntin, Charles T. (Febrero 3, 2006) La Persona de Cristo. https://bible.org/seriespage/la-persona-de-cristo (Capturado Mayo 28, 2021).
- El Dios que se volvió un ser humano. Enero 26, 2011 Por United Church of God https://espanol.ucg.org/herramientas-de-estudio/folletos/la-verdadera-historia-de-jesucristo/el-dios-que-se-volvio-un-ser-humano (Capturado Mayo 28, 2021).
- ¿La unicidad o la Trinidad de Dios? Una evaluación de la posición de la Iglesia Pentecostal Unida con respecto al Hijo de Dios desde una perspectiva trinitaria. Por Jonathan Boyd – 2013 http://impactobiblico.com/2013/08/la-unicidad-la-trinidad-dios/ (Capturado Mayo 28, 2021).
- Si Jesús es Dios porque dijo: ¿Padre en tus manos encomiendo mi Espíritu? Por Fredy Delgado. https://sites.google.com/site/elmundobiblico/dios-mio-dios-mio/si-jesus-es-dios-porque-dijo-padre-en-tus-manos-encomiendo-mi-espiritu (Capturado Mayo 28, 2021).
- El Credo de Calcedonia. https://sujetosalaroca.org/2007/11/14/el-credo-de-calcedonia/ (Capturado Mayo 28, 2021).
- Woodward, John. El Nacimiento Virginal (Tercera Parte). Notas De Gracia. https://gracenotebook.com/es/el-nacimiento-virginal-tercera-parte/ (Capturado Mayo 28, 2021).
- Reyes-Ordeix, Gabriel. (Abril 26, 2017) 6 beneficios de utilizar credos. Coalición por el Evangelio. https://www.coalicionporelevangelio.org/articulo/6-beneficios-de-utilizar-credos/ (Capturado Mayo 28, 2021).
- Hole, F. B. (Febrero 2011) La Deidad y La Humanidad De Cristo. Traducido del Inglés por: B.R.C.O.. http://www.graciayverdad.net/id24.html (Capturado Mayo 28, 2021).
- Piper, John. (November 2, 2008) Contemplamos Su gloria, lleno de gracia y de verdad. https://www.desiringgod.org/messages/we-beheld-his-glory-full-of-grace-and-truth?lang=es (Capturado Mayo 28, 2021).
- Motta Ochoa, Alberto. La Persona de Jesús, Cristologia. https://www.monografias.com/trabajos92/persona-jesus-cristologia/persona-jesus-cristologia.shtml (Capturado Mayo 28, 2021).

- Deffinbaugh, Robert L. La Santidad de Dios. https://bible.org/seriespage/la-santidad-de-dios (Capturado Mayo 28, 2021).

- El Credo de los Apóstoles. http://es.btsfreeccm.org/local/lmp/lessons.php?lesson=APC1text (Capturado Mayo 28, 2021).

- MacArthur, John. (2013) Fuego Extraño. Nashville, Tennessee, Estados Unidos de América. Grupo Nelson, Inc.

- Rubilar, Néstor. (Julio 10, 2017) Juan Calvino, el teólogo del Espíritu Santo. https://pensamientopentecostal.wordpress.com/2017/07/10/calvino-el-teologo-del-espiritu-santo-por-nestor-rubilar/ (Capturado Junio 1, 2021).

- Holder, John. Manifestaciones, Ministerios, Operaciones. Las Obras del Espíritu Santo; Espíritus Angelicales, Dones del Ministerio y Crecimiento Espiritual. https://ltfipj.tripod.com/PAGE8SP.htm (Capturado Junio 1, 2021).

- Falsificación del Don de Lenguas. Iglesia.Net https://www.iglesia.net/estudios-biblicos/doctrina/falsificacion-del-don-de-lenguas (Capturado Junio 1, 2021).

- El Bautismo en el Espíritu Santo. (Adoptada por el Presbiterio General en sesión el 9-11 de agosto de 2010). https://ag.org/es-ES/Beliefs/Position-Papers/Baptism-in-the-Holy-Spirit (Capturado Junio 1, 2021).

- Rivera, Franklin. Dones Complementarios (Romanos 12.1-8). https://sermons.faithlife.com/sermons/373983-dones-complementarios-(romanos-12.1-8) (Capturado Junio 1, 2021).

- Artemi, Eirini. (2018) El gran tratado de Basilio sobre el Espíritu Santo. (Vol. 21 pp. 7-24) Medievalia [en línea]. https://www.raco.cat/index.php/Medievalia/article/view/350969 (Capturado Junio 1, 2021).

- Diversidad de dones espirituales (1 Corintios 12:4-11). Walter Cuadra. https://www.mundobiblicoelestudiodesupalabra.com/2017/07/diversidad-de-dones-espiritual.html (Capturado Junio 1, 2021).

- ¿Cuándo recibimos el Espíritu Santo? CompellingTruth.org https://www.compellingtruth.org/Espanol/Recibir-al-Espiritu-Santo.html (Capturado Junio 1, 2021).

- El Espíritu Santo y la Santificación. ConocimientoBíblico.Com http://www.conocimientobiblico.com/el-esp-ritu-santo-y-la-santificaci-n2.html (Capturado Junio 1, 2021).

- Teología Bautista. (Noviembre 15, 2014). Doctrina del hombre (antropología). http://teologiabautista.blogspot.com/2014/11/doctrina-del-hombre-antropologia.html (Capturado Mayo 28, 2021).
- MacArthur, John; Mayhue, Richard. (Junio 19, 2018) Teología sistemática: Un estudio profundo de la doctrina bíblica. Editorial Portavoz.
- Woznicki, Chris. (Octubre 26, 2020) ¿Qué dice la Biblia sobre el alma? https://www.coalicionporelevangelio.org/articulo/que-dice-la-biblia-sobre-el-alma/ (Capturado Mayo 28, 2021).
- Cómo entender la 'imagen de Dios'. (Febrero 17, 2011) United Church of God. https://espanol.ucg.org/herramientas-de-estudio/folletos/quien-es-dios/como-entender-la-imagen-de-dios (Capturado Junio 1, 2021).
- MacArthur, John. (2011) La Evangelización. Cómo Compartir El Evangelio con Fidelidad. Nashville, Tennessee, Estados Unidos de América. Grupo Nelson, Inc.
- Casas, David. Fuller, Russell. (Febrero 20, 2015 ) ¿Nuestro cuerpo está hecho a imagen de Dios? https://answersingenesis.org/es/biblia/nuestro-cuerpo-esta-hecho-imagen-de-dios/ (Capturado Junio 1, 2021).
- Padilla, Carlos. (2020) Hamartiología. ¿Qué es el pecado? https://www.jesucristo.net/hamartiologia-que-es-el-pecado/ (Capturado Junio 7, 2021).
- Deffinbaugh, Robert L. La Caída del Hombre Gen 3:1–24. https://bible.org/seriespage/la-ca%C3%ADda-del-hombre-gen-31%E2%80%9324 (Capturado Junio 7, 2021).
- Soteriología. Doctrina de salvación. http://www.knowingjesuschrist.com/languages/spanish-espanol/biblia-estudia-bible-studies/164-doctrinas-biblicas/321-soteriologia-doctrina-de-salvacion (Capturado Junio 7, 2021).
- Masters, Dr. Peter. La caída del hombre. Londres. Tabernáculo Metropolitano. https://www.metropolitantabernacle.org/Espanol/Articulos/La-Caida-de-Adan (Capturado Junio 7, 2021).
- Piper, John. (Agosto 19, 2001) Desiring God. https://www.desiringgod.org/messages/who-is-this-divided-man-part-5 (Capturado Junio 7, 2021).
- Deffinbaugh, Robert L. La Soberanía de Dios en la Salvación (Romanos 9:1-24) https://bible.org/seriespage/la-soberan%C3%AD-de-dios-en-la-salvaci%C3%B3n-romanos-91-24 (Capturado Junio 7, 2021).

- Cuadra, Walter. Soteriología: La Doctrina de la Salvación. https://www.mundobiblicoelestudiodesupalabra.com/2018/08/soteriologia-la-doctrina-de-la-salvacion.html?m=1 (Capturado Junio 7, 2021).
- Rosell, Miguel. Soteriología. Introducción A La Doctrina De La Salvación. https://fulgurando.blogspot.com/p/soteriologia.html (Capturado Junio 7, 2021).
- Barrios, Josué. (Enero 5, 2015) ¿Qué es la Soteriología y Por Qué es Importante Para Todos Los Cristianos? https://josuebarrios.com/soteriologia/ (Capturado Junio 7, 2021).
- Deem, Rich. La Justificación. https://www.godandscience.org/doctrine/justify-es.html (Capturado Junio 7, 2021).
- La Seguridad de la Salvación. (Adoptada por el Presbiterio General en sesión el 5-7 de agosto de 2017). El Concilio General de las Asambleas de Dios. https://ag.org/es-ES/Beliefs/Position-Papers/Assurance-Of-Salvation (Capturado Junio 7, 2021).
- Piper, John. (Junio 23, 2002) Todas las cosas para bien, parte 3. Desiring God. https://www.desiringgod.org/messages/all-things-for-good-part-3?lang=es (Capturado Junio 7, 2021).
- Soteriología. La Doctrina de la Salvación. La Palabra de Dios https://lapalabradediosve.wordpress.com/doctrina-biblica/soteriologia/ (Capturado Junio 7, 2021).
- Soteriología. Doctrina de salvación. http://www.knowingjesuschrist.com/languages/spanish-espanol/biblia-estudia-bible-studies/164-doctrinas-biblicas/321-soteriologia-doctrina-de-salvacion (Capturado Junio 7, 2021).
- Cardoza, Angel. (Mayo 5, 2015) Martín Lutero y la Seguridad de la Salvación. https://evangelio.blog/2015/05/05/martn-lutero-y-la-seguridad-de-la-salvacin/ (Capturado Junio 7, 2021).
- Leighton, Matthew. (Julio 26, 2018) La justificación: ¿qué es y qué hace? https://www.coalicionporelevangelio.org/articulo/la-justificacion-que-es-y-que-hace/ (Capturado Junio 7, 2021).
- Esqueda, Octavio. (Septiembre 13, 2012) Jesús es nuestra esperanza. Biola University. https://www.biola.edu/blogs/good-book-blog/2012/jesus-es-nuestra-esperanza (Capturado Junio 7, 2021).
- Piper, John. (Marzo 9, 2008) Ninguno que es nacido de Dios practica el

pecado. Desiring God. https://www.desiringgod.org/messages/no-one-born-of-god-makes-a-practice-of-sinning?lang=es (Capturado Junio 7, 2021).

- Macleod, Donald. (Abril 21, 2016) Adopción: Un nuevo padre y un nuevo corazón. https://www.coalicionporelevangelio.org/articulo/adopcion-un-nuevo-padre-y-un-nuevo-corazon/ (Capturado Junio 7, 2021).
- Piper, John. (Diciembre 9, 2001) Lo que significa cumplir la ley en Romanos 8:3-4. Desiring God. Doce Tesis. https://www.desiringgod.org/messages/what-does-it-mean-to-fulfill-the-law-in-romans-8-3-4?lang=es (Capturado Junio 7, 2021).
- El Cuerpo De Cristo. Casa de Adoración. https://www.casadeadoracion.us/single-post/2018/10/19/EL-CUERPO-DE-CRISTO (Capturado Junio 12, 2021).
- Guzik, David. (2016) 1 Corintios 12 – Diversidad y Unidad en Dones Espirituales. https://www.blueletterbible.org/Comm/guzik_david/spanish/StudyGuide_1Co/1Co_12.cfm (Capturado Junio 12, 2021).
- Ser Discípulos: Aprende A Defender Tu Fe. (4 de Septiembre de 2008) https://elforocofrade.es/index.php?threads/ser-disc%C3%8Dpulos-aprende-a-defender-tu-fe.2147/page-2 (Capturado Junio 12, 2021).
- La santa cena. El cristianismo primitivo. http://www.elcristianismoprimitivo.com/doct38.htm (Capturado Junio 12, 2021).
- El Bautismo Cristiano. Publications. A Ministry of COG7.org https://publications.cog7.org/tracts-books/tracts/biblical-studies/el-bautismo-cristiano/ (Capturado Junio 12, 2021).
- Espinoza, Alberto. A La Iglesia Que Está En Tu Casa. Faithlife Sermons. https://sermons.faithlife.com/sermons/569282-a-la-iglesia-que-esta-en-tu-casa (Capturado Junio 12, 2021).
- ¿Cuál es la importancia del bautismo cristiano? Got Questions. https://www.gotquestions.org/Espanol/Bautismo-cristiano.html (Capturado Junio 12, 2021).
- Cena del Señor. (Junio 27, 2015) Plenitud de Vida. https://plenituddevida.com.mx/cena-del-senor/ (Capturado Junio 12, 2021).
- ¿La Biblia enseña el bautismo del creyente o credobautismo? Got Questions. https://www.gotquestions.org/Espanol/bautismo-creyente.html Capturado Junio 12, 2021).
- Piper, John. (Octubre 1, 2000) Unidos a Cristo en la muerte y en la vida,

parte 2. Desiring God. https://www.desiringgod.org/messages/united-with-christ-in-death-and-life-part-2?lang=es (Capturado Junio 12, 2021).

- MacArthur, John. (2006) Comentario MacArthur del Nuevo Testamento: Juan. Chicago, IL. Moody Publishers. (2011) Grand Rapids, Michigan. Editorial Portavoz.
- Los Apóstoles y Profetas. Adoptada por el Presbiterio General en sesión el 6 de agosto del 2001. Asambleas de Dios. https://ag.org/es-ES/Beliefs/Position-Papers/Apostles-and-Prophets (Capturado Junio 12, 2021).
- ¿Cuál es la diferencia entre la iglesia universal y la iglesia local? Got Questions. https://www.gotquestions.org/Espanol/iglesia-local-universal.html (Capturado Junio 12, 2021).
- Deffinbaugh, Robert L. (April 29, 2005) La Santidad de Dios. https://bible.org/seriespage/la-santidad-de-dios (Capturado Junio 12, 2021).
- El primer y el segundo Templo de Jerusalén. (Marzo 1, 2017) Ateneo Mercantil de Valencia. https://www.ateneovalencia.es/el-primer-y-el-segundo-templo-de-jerusalen/ (Capturado Junio 12, 2021).
- Sendek, Elizabeth de. Spencer, Aída Besançon. Gordon, A. J. (Agosto 1, 2017) El Ministerio de las Mujeres. https://www.cbeinternational.org/resource/article/el-ministerio-de-las-mujeres (Capturado Junio 12, 2021).
- Donde Se Reunió La Iglesia Primitiva. http://equipdisciples.org/Storying/Spanish/doc/CP12%20D%C3%93NDE%20SE%20REUNI%C3%93%20LA%20IGLESIA%20PRIMITIVA.htm (Capturado Junio 12, 2021).
- Elizondo, Emanuel. (Enero 26, 2021) Hoy no hay apóstoles. Coalición por el Evangelio. https://www.coalicionporelevangelio.org/articulo/hoy-no-hay-apostoles/ (Capturado Junio 12, 2021).
- Griffiths, Jonathan. El papel del anciano, obispo, y pastor. Coalición por el Evangelio. https://www.coalicionporelevangelio.org/ensayo/el-papel-del-anciano-obispo-y-pastor/ (Capturado Junio 12, 2021).
- Piper, John (Agosto 29, 1999) ¿Qué relación hay entre la circuncisión y el bautismo? https://www.desiringgod.org/messages/how-do-circumcision-and-baptism-correspond?lang=es (Capturado Junio 12, 2021).
- Martins, Steven. (Agosto 12, 2020) ¿Por qué creer en una tierra joven? Biblia y Teología. Coalición por el Evangelio. https://www.coalicionporelevangelio.org/

articulo/por-que-creer-en-una-tierra-joven/ (Capturado Junio 13, 2021).

- Guzik, David. (2012) Génesis 1. El Reporte de la Creación de Dios. https://www.blueletterbible.org/Comm/guzik_david/spanish/StudyGuide_Gen/Gen_01.cfm (Capturado Junio 13, 2021).
- Donovan, Richard Niell. Génesis 1:1 – 2:4a Exégesis. Sermon Writer. https://sermonwriter.com/espanol-exegesis/genesis-11-24a/ (Capturado Junio 13, 2021).
- Cáceres, Román. (Marzo 1, 2020) LA CREACIÓN (1RA. PARTE) - Gen 1:1-2:3 https://www.jesucristorey.org/Mensajes/Visualizaci%C3%B3n-de-Mensaje/ArticleId/802/LA-CREACI-211-N-Gen-1-1-2-3 (Capturado Junio 13, 2021).
- La Doctrina De La Creación. (Adoptada por el Presbiterio General en sesión el 4-5 de Agosto de 2014) Asambleas de Dios. https://ag.org/es-ES/Beliefs/Position-Papers/The-Doctrine-of-Creation (Capturado Junio 13, 2021).
- Lopez Ordoñez, Pr. Daniel. El Diseño De Dios Para La Iglesia Berea. Faithlife Sermons. https://sermons.faithlife.com/sermons/188395-el-diseno-de-dios-para-la-iglesia-berea (Capturado Junio 13, 2021).
- ¿Cómo podría haber luz en el primer día de la creación si el sol no fue creado hasta el cuarto día? Got Questions. https://www.gotquestions.org/Espanol/luz-primero-sol-cuarto.html (Capturado Junio 13, 2021).
- ¿Es Jesús el Creador? Got Questions. https://www.gotquestions.org/Espanol/Jesus-creador.html (Capturado Junio 13, 2021).
- Ham, Ken. ( Julio 11, 2014) ¿Qué realmente sucedió con los dinosaurios? Answers in Genesis. https://answersingenesis.org/es/biblia/que-realmente-sucedio-los-dinosaurios/ (Capturado Junio 13, 2021).
- ¿Cómo puede el Dios de orden hacer una tierra desordenada y vacía? (Agosto 25, 2016) Esclavos de Cristo. https://esclavosdecristo.com/como-puede-el-dios-de-orden-hacer-una-tierra-desordenada-y-vacia/ (Capturado Junio 13, 2021).
- Piper, John. Todas las cosas fueron creadas por medio de Él y para Él. Traducción por Pilar Daza Pareja. Libros y Sermones Bíblicos. http://es.gospeltranslations.org/wiki/Todas_las_cosas_fueron_creadas_por_medio_de_%C3%89l_y_para_%C3%89l (Capturado Junio 13, 2021).
- ¿Qué es la teoría de Gap? ¿Sucedió algo entre Génesis 1:1 y 1:2? Got Questions. https://www.gotquestions.org/Espanol/

teoria-del-gap.html (Capturado Junio 13, 2021).

- Sproul, R.C. Resplandeciente de Gloria. Ministerios Ligonier. https://es.ligonier.org/RTM/resplandeciente-de-gloria/ (Capturado Junio 13, 2021).

- Ham, Steve. (Enero 7, 2016) El mundo perdido de Adán y Eva: Una respuesta. https://answersingenesis.org/es/biblia/el-mundo-perdido-de-adan-y-eva-una-respuesta/ (Capturado Junio 13, 2021).

- Riddle, Mike. (Octubre 23, 2014) ¿La datación por carbono refuta a la Biblia? https://answersingenesis.org/es/ciencia/la-datacion-por-carbono-refuta-la-biblia/ (Capturado Junio 13, 2021).

- Garcia, Osvaldo. Jesús y el Arcángel Miguel. https://www.monografias.com/trabajos102/jesus-y-arcangel-miguel/jesus-y-arcangel-miguel.shtml (Capturado Junio 13, 2021).

- Hodge, Bodie. (Octubre 23, 2014) ¿Y qué hay de Satanás y el origen del mal? Answers in Genesis. https://answersingenesis.org/es/biblia/y-que-hay-de-satanas-y-el-origen-del-mal/ (Capturado Junio 13, 2021).

- Cuadra, Walter. Organización y Clasificación de los Ángeles. Mundo Bíblico. https://www.mundobiblicoelestudiodesupalabra.com/2015/03/organizacion-y-clasificacion-de-los-angeles.html (Capturado Junio 13, 2021).

- Deffinbaugh, Robert L. (Abril 29, 2005) La Invisibilidad de Dios. https://bible.org/seriespage/la-invisibilidad-de-dios-g%C3%A9nesis-3222-30-%C3%A9xodo-249-11-1%C2%AA-timoteo-117 (Capturado Junio 13, 2021).

- Carbajal, David. (Febrero 11, 2021) ¿Quién es el Ángel de Jehová? https://www.libroscristianosmx.com/blogs/respuestas-en-la-biblia/quien-es-el-angel-de-jehova (Capturado Junio 13, 2021).

- Guzik, David. (2020) Ezequiel 1. La visión de Ezequiel de Dios y su trono. The Enduring Word Comentario bíblico en Español. https://es.enduringword.com/comentario-biblico/ezequiel-1/ (Capturado Junio 13, 2021).

- Chafer, Lewis Sperry. Los Ángeles. Seminario Reina Valera. http://www.seminarioabierto.com/doctrina122.htm (Capturado Junio 13, 2021).

- Guzik, David. (2006) Génesis 16. Agar y el nacimiento de Ismael. https://www.blueletterbible.org/Comm/guzik_david/spanish/StudyGuide_Gen/Gen_16.cfm (Capturado Junio 13, 2021).

- ¿Si nadie ha visto a Dios, a quien vieron los Patriarcas y Profetas? (Agosto 24, 2014) Iglesia Cristiana Reformada Sana Doctrina. https://icrsd.wordpress.com/2014/08/24/si-nadie-ha-visto-a-dios-a-quien-vieron-los-patriarcas-y-profetas/ (Capturado Junio 13, 2021).

- Seiglie, Mario. (Abril 9, 2018) En un principio creó Dios los cielos… https://espanol.ucg.org/miembros/bajo-el-lente/002-genesis-11-en-un-principio-creo-dios-los-cielos (Capturado Junio 13, 2021).

- ¿Qué es tipología bíblica? Got Questions. https://www.gotquestions.org/Espanol/biblica-tipologia.html (Capturado Junio 13, 2021).

- Chafer, Lewis Sperry. Dios el Hijo: Su Preexistencia. Seminario Reina Valera. http://www.seminarioabierto.com/doctrina107.htm (Capturado Junio 13, 2021).

- Suazo, J.M. El Arcangel Miguel. Descubriendo las Verdades Bíblicas Eternas. http://defensabiblica.blogspot.com/p/el-arcangel-miguel.html?m=1 (Capturado Junio 13, 2021).

- Namnún, Jairo. (25 Mayo 25, 2015) Por qué prefiero no usar el nombre "Jehová" (y prefiero usar Señor). Biblia y Teología. Coalición por el Evangelio. https://www.coalicionporelevangelio.org/articulo/por-que-prefiero-no-usar-el-nombre-jehova/ (Capturado Junio 13, 2021).

- ¿Una tercera parte de los ángeles cayeron con Lucero? Got Questions. https://www.gotquestions.org/Espanol/una-tercera-angeles.html (Capturado Junio 13, 2021).

- ¿Qué dice la Biblia acerca del ángel Gabriel? Got Questions. https://www.gotquestions.org/Espanol/angel-Gabriel.html (Capturado Junio 13, 2021).

- MacArthur, John. (Febrero 1, 1976) Ángeles: El ejército invisible de Dios, 3ª Parte. Gracia a vosotros. https://www.gracia.org/library/sermons-library/GAV-1363/%C3%A1ngeles-el-ej%C3%A9rcito-invisible-de-dios-3%C2%AA-parte (Capturado Junio 13, 2021).

- ¿Rapto Antes De La Gran Tribulación? Las 10 Mentiras Del Rapto Pretribulacional De La Iglesia. https://postribulationem.wordpress.com/librados-de-la-gran-tribulacion/ (Capturado Junio 13, 2021).

- Cuadra, Walter. Las Señales de su Segunda Venida (Mateo 24:29-31). Mundo Bíblico. https://www.mundobiblicoelestudiodesupalabra.com/2020/09/senales-de-la-segunda-venida-Cristo.html (Capturado Junio 13, 2021).

- Robinson, Tom. (Agosto 30, 2020) ¿Por qué tiene que volver Jesucristo? https://espanol.ucg.org/las-buenas-noticias/por-que-tiene-que-volver-jesucristo (Capturado Junio 13, 2021).
- Cuadra, Walter. Las 70 Semanas de Daniel. Mundo Bíblico. https://www.mundobiblicoelestudiodesupalabra.com/2015/02/las-70-semanas-de-daniel.html?m=1 (Capturado Junio 13, 2021).
- Guzik, David. (2016) Apocalipsis 21. Un Cielo Nuevo, Una Tierra Nueva, y una Nueva Jerusalén. https://www.blueletterbible.org/Comm/guzik_david/spanish/StudyGuide_Rev/Rev_21.cfm (Capturado Junio 13, 2021).
- Más allá del Milenio. Las buenas noticias. https://espanol.ucg.org/herramientas-de-estudio/folletos/you-can-understand-bible-prophecy/mas-alla-del-milenio (Capturado Junio 13, 2021).
- Guzik, David. (2016) Apocalipsis 20. Satanás, el Pecado y la Muerte son Finalmente Eliminados. https://www.blueletterbible.org/Comm/guzik_david/spanish/StudyGuide_Rev/Rev_20.cfm (Capturado Junio 13, 2021).
- Marvenko, Pat. "Los mil años" de Apocalipsis. Comúnmente llamados, el milenio. http://www.editoriallapaz.org/apocalipsis_10_Tema1_Milenio.htm (Capturado Junio 13, 2021).
- Padilla, Carlos. (Julio 2008) Profecía De Las 70 Semanas De Daniel. https://www.jesucristo.net/70Daniel.htm (Capturado Junio 13, 2021).
- Victor, E.G (Julio 26, 2001) ¿Existe el infierno y el lago de fuego según la Biblia? https://www.iglesia.net/estudios-biblicos/apologetica/existe-el-infierno-y-el-lago-de-fuego-segun-la-biblia (Capturado Junio 13, 2021).
- Ice, Thomas. Mayo 13, 2020 El Siglo Presente y el Siglo Venidero. https://evangelio.blog/2020/05/13/el-siglo-presente-y-el-siglo-venidero/ (Capturado Junio 13, 2021).
- MacArthur, John. ¿Es inminente el regreso de Cristo? The Master's Seminary. https://tms.edu/es/blog/es-inminente-el-regreso-de-cristo/ (Capturado Junio 13, 2021).
- El Premilenialismo. Parte I. (Junio 24, 2008) Sujetos a la Roca. https://sujetosalaroca.org/2008/06/24/el-premilenialismo-parte-i/ (Capturado Junio 13, 2021).
- Los Cielos Nuevos y una Tierra Nueva Gloriosos. Asociación De los Estudiantes De la Biblia El Alba. http://www.dawnbible.

com/es/2013/1306ib23.htm (Capturado Junio 13, 2021).

- ¿Resurrección o vida inmediatamente después de la muerte? Verdades Bíblicas. https://www.jba.gr/es/Resurreccion-o-vida-inmediatamente-despues-de-la-muerte.htm (Capturado Junio 13, 2021).

*Los libros y escritos que he consultado, por lo regular —aunque a veces opuestos entre sí en algunos puntos de vista doctrinales—, suelen estar en asuntos esenciales, dentro de las columnas de la ortodoxia, sin embargo, también he consultado y estudiado puntos de vista que se oponen a la sana enseñanza, algunos aún seculares, por lo que la lista anterior es publicada con el propósito de agradecer y dar crédito, pero no necesariamente significa un endorso o recomendación de todo.

Las citaciones en notas igualmente no significan endorso o recomendación. En estas, durante toda la serie, he usado fuentes cristianas, pero también seculares, incluyendo (pero no limitado a), diccionarios, enciclopedias, documentos históricos, libros y escritos de referencias, archivos de estudios científicos, filosóficos, de autores independientes o enlazados a universidades o instituciones. A veces cito material contrario a la buena enseñanza con el propósito de crítica apologética, contraste y para presentar opuestos. Nuestras convicciones son fuertes cuando podemos leer, debatir y retar la mala enseñanza. Sin embargo, nuevos estudiantes, creo deberán usar precaución si deciden revisar algunas de estas fuentes.

## Todos los libros manuales de esta serie

Estos libros contienen todo el texto de *Teología Sistemática para Latinoamérica* además de ejercicios / cuestionarios y espacios para notas, para ser usados en estudios de grupos, clases de instituto bíblico, seminario o cualquier otro formato donde se equipen ministros y líderes para la obra de ministerio o creyentes en general que quieren crecer en el conocimiento de Dios.

Bibliología: La doctrina de la Palabra de Dios

Paterología: La doctrina de Dios Padre

Cristología: La doctrina de Cristo

Pneumatología: La doctrina del Espíritu Santo

Antropología: La doctrina del Hombre

Hamartiología: La doctrina del Pecado

Soteriología: La doctrina de la Redención

Eclesiología: La doctrina de la Iglesia

Origen: La doctrina de la Creación

Angelología: La doctrina de los Ángeles

Escatología: La doctrina del futuro

JA PÉREZ
BIBLIOLOGÍA:
LA DOCTRINA DE LA
PALABRA DE DIOS

JA PÉREZ
PATEROLOGÍA:
LA DOCTRINA DE
DIOS PADRE

JA PÉREZ
CRISTOLOGÍA:
LA DOCTRINA DE CRISTO

JA PÉREZ
PNEUMATOLOGÍA:
LA DOCTRINA
DEL ESPÍRITU SANTO

JA PÉREZ
ANTROPOLOGÍA:
LA DOCTRINA DEL HOMBRE

JA PÉREZ
HAMARTIOLOGÍA:
LA DOCTRINA DEL PECADO

JA PÉREZ
SOTERIOLOGÍA:
LA DOCTRINA
DE LA REDENCIÓN

JA PÉREZ
ECLESIOLOGÍA:
LA DOCTRINA DE LA IGLESIA

JA PÉREZ
ORIGEN:
LA DOCTRINA
DE LA CREACIÓN

JA PÉREZ
ANGELOLOGÍA:
LA DOCTRINA
DE LOS ÁNGELES

JA PÉREZ
ESCATOLOGÍA:
LA DOCTRINA DEL FUTURO

**Libro principal**

Todos los libros manuales de esta serie provienen del libro: *Teología Sistemática para Latinoamérica.*

Este contiene todo el texto y es un valioso libro de referencias y consultas que todo estudiante serio de teología debe tener en su biblioteca.

*780 páginas*

Publicado por: *Tisbita Publishing House.*

Para información sobre tiendas donde puede obtenerlo puede ir a:

https://japerez.com/teologia

## Cursos de teología

### Teología al alcance de todos

La Teología (el estudio de Dios) debe ser estudiada no solo por el ministro ordenado o el aspirante al ministerio cristiano, sino por todo creyente.

Todos debemos conocer mejor a Dios, por lo tanto, hemos puesto estos cursos de teología sistemática al alcance de todos.

### ¿Cómo funciona?

Cada curso presenta lecciones en video y texto, el manual de curso, ejercicios y un examen final. Una vez completado, el estudiante recibe el Certificado de Completación de ese curso.

Todo dentro de una comunidad, donde usted puede hacer preguntas, compartir ideas y relacionarse con otros estudiantes.

Los cursos son autenticados por la *Facultad de Teología Latinoamericana™* y en conjunto forman el programa de maestría de esta.

Más información en: https://facultad.org

*Dr. JA Pérez* es escritor, misionero y precursor de movimientos de cosecha en América Latina.

Sus concentraciones masivas han atraido grandes multitudes durante años.

Con una trayectoria ministerial de más de cuatro décadas y varios libros publicados, sus esfuerzos hoy alcanzan a millones de vidas en todo el continente.

Su trabajo ha recibido menciones en cadenas internacionales como *CBN*, el *Club 700* y decenas de televisoras y periódicos en Centro y Sur América. En el año 2019 le fue otorgado el premio *John Wesley* (John Wesley Award) de la *Asociación Luis Palau* por su labor y liderazgo en el evangelismo mundial.

Es fundador de la *Escuela de Liderazgo Internacional™* y la *Facultad de Teología Latinoamericana™*, y ha equipado a miles de líderes y ministros para la obra del ministerio.

Él, su esposa y sus tres hijos viven en un suburbio de San Diego en California.

***Blog personal y redes sociales***

japerez.com

youtube.com/DrJAPerez

facebook.com/DrJAPerez

# OTROS LIBROS POR JA PÉREZ

## VIDA ABUNDANTE

**Crecimiento espiritual | Teología | Principios de vida | Relaciones**

Serie *Venciendo la ansiedad*

En esta serie comparto mis luchas, retos y estragos. También las verdades que me han llevado de la ansiedad a una vida de paz y contentamiento.

DIOS
con nosotros
ja pérez

LA MUERTE
y cómo librarte de ella
JA PÉREZ

100
J.A.PÉREZ

MAESTRO
DE
MARIONETAS
ÉL TIENE CUERDAS EN CADA ASPECTO DE TU VIDA Y HACE QUE TODO OBRE PARA BIEN
JA PÉREZ

la
PRISA
JA PÉREZ

Aumenta
el Gozo
JA Pérez

GRAN
EXPECTACIÓN
de COSAS
BUENAS
JA PÉREZ

Jesús
(sin religión)
JA PÉREZ

JESÚS
pregunta
JA PÉREZ

FELIZ
JA PÉREZ
LIBRO INTERACTIVO

Profecía bíblica

Ficción

Finanzas personales

**MINISTERIO | LIDERAZGO**

Ministerio | Crecimiento de la iglesia | Evangelismo | Misiones
Discipulado | Estudio de grupos | Empresa

Evangelismo, discipulado y misiones

Desarrollo de proyectos

Desarrollo de líderes

LIDERAZGO
IRREVOCABLE
JA PÉREZ

LIDERAZGO
INTELIGENTE
JA PÉREZ

LIDERAZGO
y CONSORCIOS
JA PÉREZ

LIDERAZGO
y GOBIERNOS
JA PÉREZ

LIDERAZGO
PRODUCTIVO
JA PÉREZ

LIDERAZGO
y CAPITAL INFLUYENTE
JA PÉREZ

LIDERAZGO
INSPIRACIONAL
JA PÉREZ

LIDERAZGO
TRANSPARENTE
JA PÉREZ

LIDERAZGO
y SISTEMAS
JA PÉREZ

LIDERAZGO
y DESARROLLOS
JA PÉREZ

LIDERAZGO
INVISIBLE
JA PÉREZ

LIDERAZGO
y LEGADO
JA PÉREZ

## Inspiración y creatividad

Crecimiento de la iglesia

## CLÁSICOS

Vida cristiana | Familia | Relaciones

**ENGLISH**

**Collaboration**

TISBITA

Lightning Source UK Ltd.
Milton Keynes UK
UKHW021531150822
407326UK00009B/2569

9 781947 193413